CB024911

Dados Internacionais de Catalogação na Publicação (CIP)
(Câmara Brasileira do Livro, SP, Brasil)

Lawrence, Marilyn.
A experiência anoréxica / Marilyn Lawrence ; tradução Talita M. Rodrigues. — São Paulo : Summus, 1991.

ISBN 85-323-0241-6

1. Anorexia nervosa I. Título.

91-1314

CDD-616.852
NLM-WM 172

Índices para catálogo sistemático:
1. Anorexia nervosa : Neuroses : Medicina 616.852

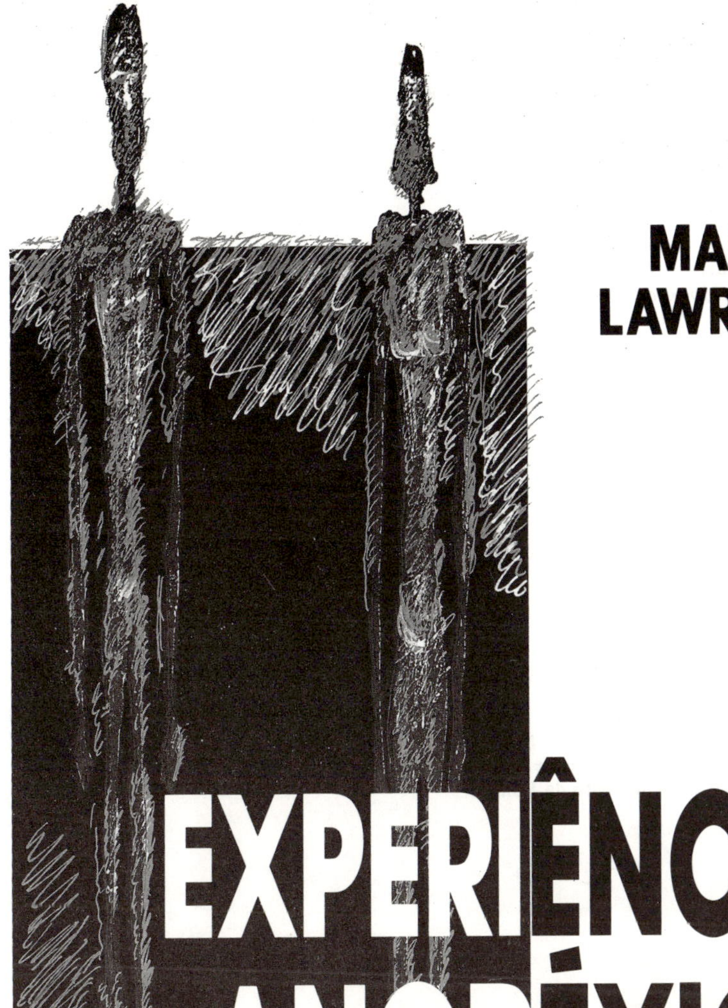

MARILYN LAWRENCE

A EXPERIÊNCIA ANORÉXICA

summus editorial

Do original em língua inglesa
THE ANOREXIC EXPERIENCE
Copyright © Marilyn Lawrence 1984, 1988
Copyright do Capítulo 8 © by Will Pennycook
Originalmente publicado por The Women's Press Limited, Londres, UK, 1984
Reimpressões 1984, 1985, 1988

Tradução de:
Talita Macedo Rodrigues

Capa de:
Ettore Bottini

Proibida a reprodução total ou parcial
deste livro, por qualquer meio e sistema
sem o prévio consentimento da Editora.

Direitos para a língua portuguesa
adquiridos por
SUMMUS EDITORIAL LTDA.
Rua Cardoso de Almeida, 1287
05013 — São Paulo, SP
Telefone (011) 872-3322
Caixa Postal 62.505 — CEP 01295
que se reserva a propriedade desta tradução

Impresso no Brasil

Para Joseph

AGRADECIMENTOS

Meus sinceros agradecimentos às seguintes pessoas.

No início, aos que me encorajaram a levar a sério minha estranha preocupação: John Lawrence, Denis Sharp, German Berrios.

A Janice, que me ensinou quase tudo o que sei.

Mais tarde, a Hilary Rose, Helen Roberts, Sheila Allen e outros amigos da Universidade de Bradford.

Depois a Gill Edwards, Jane Almond e todas as pessoas relacionadas com o Anorexia Counselling Service (Serviço de Aconselhamento na Anorexia). A Celia Lowenstein.

Mais recentemente, a todos os amigos e colegas do Women's Therapy Centre (Centro de Terapia da Mulher), porém em especial a Mira Dana.

A David Whitehouse, cujo interesse pelo meu trabalho foi muito apreciado. A Will Pennycook, que fez mais por este livro do que escrever sua conclusão. A Ros de Lanerolle, que me ensinou que é possível ser fraterna e profissional ao mesmo tempo. A Geoffrey Pearson. A Carol e ao pequeno Matthew, que tornaram mais fácil a finalização deste livro. A todos os clientes, passados e presentes.

Gostaríamos de agradecer a permissão de Michael B. Yeats e Macmillan London Ltd. pela utilização do poema *For Anne Gregory*, de W.B. Yeats. À Virago Press pelas citações de *The Art of Starvation*, de Sheila MacLeod, Virago, 1981; e Frederick Muller Ltd. pelas citações de *How to Survive Anorexia*, de Peter Lambley, 1983.

SUMÁRIO

PREFÁCIO À SEGUNDA EDIÇÃO

Agradeço à *The Women's Press* por me haver dado a oportunidade de rever *A experiência anoréxica* quatro anos após sua publicação. No transcorrer deste período minhas próprias idéias evoluíram e se modificaram. Embora na prática eu esteja hoje mais interessada no mundo íntimo e inconsciente da pessoa anoréxica e na dinâmica do relacionamento terapêutico do que naquela época, agrada-me constatar que permaneço firmemente comprometida com as perspectivas reveladas aqui. Resolvi limitar minhas alterações a pequenos acréscimos na seção dos recursos e na bibliografia, pois acredito que o livro, tal como está, continua a preencher sua função: auxiliar tanto as mulheres que sofrem de anorexia como aqueles que procuram tratar delas.

Muita coisa aconteceu nestes últimos quatro anos, embora num certo sentido pouca mudança tenha havido. Um progresso surpreendente foi o aumento de publicações sobre a saúde mental feminina em geral e os distúrbios alimentares em particular. As mais notáveis são *Womansize*[1] e *The Hungry Self,*[2] de Kim Chernin, e *Hunger Strike,*[3] de Susie Orbach. (A primeira foi publicada enquanto *A experiência anoréxica* estava sendo impressa.) *Womansize* e *Hunger Strike*, embora bastante diferentes, apresentam uma discussão e um conhecimento profundos da importância da imagem corporal e da alimentação na vida das mulheres. *Hunger Strike*, em particular, traça o caminho que uma moça "normal" pode tomar em direção a um distúrbio que colocará em risco sua vida, assim como as alterações na realidade social feminina que tornam cada vez mais provável essa solução.

Fed Up and Hungry,[4] publicado em 1987, reúne a vivência e a habilidade feminina no trabalho com outras mulheres para solucionar os problemas associados a comida e alimentação. A riqueza da obra testemunha a variedade desse tipo de trabalho e o quanto ele está realmente progredindo.

No mesmo período, a perspectiva feminista sobre a anorexia e outros distúrbios alimentares tornou-se bem mais "respeitável". A maioria dos textos contemporâneos sobre a anorexia reconhece agora a importância da posição social das mulheres no desenvolvimento dessa síndrome, enquanto terapeutas e escritores feministas são freqüentemente convidados a falar sobre os distúrbios da alimentação em conferências e seminários nacionais e internacionais.

Ainda mais importante, talvez, é o crescente reconhecimento de que a anorexia é um sintoma "de alguma coisa". A maioria dos profissionais reconhece, ainda que apenas implicitamente, que somente a recuperação do peso não soluciona o problema. Alguns departamentos e unidades hospitalares oferecem agora programas que incluem tanto psicoterapia como apoio e terapia aos familiares. Muitos, infelizmente, consideram que o desafio terapêutico nesses casos é forçar a paciente a engordar, e essa imposição, ademais, assume muitas vezes a forma humilhante de um confisco de seu autocontrole. A necessidade que a mulher anoréxica sente de conservar esse controle é um dos temas deste livro.

Na mente de alguns clínicos, parece haver ainda dúvida sobre se a anorexia é um distúrbio físico ou psicológico. Em certos aspectos, é compreensível essa confusão. A anorexia, talvez mais que qualquer outro problema psicológico, tem conseqüências físicas tão dramáticas e fatais que as pessoas que tratam das anoréxicas, sejam quais forem suas crenças teóricas, dificilmente conseguem ver além dos perigos físicos imediatos. Essas confusões e ansiedades são contudo perigosas. O que a mulher anoréxica precisa é ser compreendida; ser profunda e minuciosamente compreendida. É essa compreensão que conduz à mudança na sua capacidade de se alimentar. Ainda me entristeço, quando ouço profissionais que falam e escrevem sobre a anorexia em termos de "controle" e não de tratamento. O termo implica sua aceitação como um distúrbio incurável, que se tornará provavelmente crônico, aliada a uma espécie de esperança de que ele se resolverá com o tempo — em outras palavras, que a mulher vai superá-lo. É exatamente esse tipo de pensamento que desencoraja os profissionais a adotar uma abordagem positiva, e as famílias, a esperar que ela aconteça. A cada ano que passa, mais me convenço de que a psicoterapia tem muito a oferecer às mulheres que desenvolvem um sintoma e um estilo de vida que se sentem incapazes de abandonar e que verdadeiramente não compreendem. Embora essa tarefa exija grande habilidade e paciência do terapeuta, não posso sinceramente dizer que o trabalho com mulheres anoréxicas seja diferente ou mais difícil do que a psicoterapia com qualquer outro grupo de clientes.

Existe e sempre existiu uma certa relutância em se tratar as mulheres anoréxicas como pacientes externas, em tentar ajudá-las a resolver suas dificuldades e controlar seus sintomas sem a internação num hospital. Internar uma mulher que sofre de anorexia, a não ser num caso de emergência médica, é reagir simplesmente aos seus aspectos irracionais, "loucos". Por sua vez, isso faz com que ela tenda ainda mais a esconder seu lado confuso, irritado e essencialmente sadio que vivenciou toda a dificuldade. Mas o número de internações inúteis que servem quase sempre apenas para embaralhar e confundir a situação não se deve apenas à falta de visão dos profissionais. Existe na realidade uma escassez muito grande de tratamentos psicoterapêuticos para pacientes externos. Isso ocorria na época em que *A experiência anoréxica* foi publicada pela primeira vez, e desde então a situação piorou muito. Vivemos num clima político e social em que é ínfima a prioridade que se dá ao bem-estar. Exige-se das pessoas que se ergam e cuidem de si mesmas. Isto, é claro, é exatamente o que a anoréxica é incapaz de fazer. Toda vez que há redução nos serviços de saúde mental, quase sempre é o atendimento aos pacientes externos que mais sofre com isso. Existe talvez a idéia de que as pessoas que recebem esse tipo de tratamento são as menos seriamente doentes, ou menos necessitadas. Na realidade, o que vemos é a erosão do serviço que evita que elas se tornem pacientes internas. Para uma mulher jovem, a internação num hospital psiquiátrico para tratamento dos sintomas de seus problemas psicológicos é uma experiência arrasadora. Para muitas mulheres, isso absolutamente não ajuda a resolver as dificuldades que deram origem ao distúrbio, e pode ser o acontecimento que as inicia na "carreira" de paciente mental. O maior absurdo dessa política é que talvez ela não seja nem mesmo econômica. É muito caro manter alguém num hospital durante três meses (e muitas anoréxicas se internam várias vezes). Sem dúvida, deve valer a pena investir num serviço que tornará a internação desnecessária. Mas todos os anos vemos serviços de orientação infantil e psicoterapia para crianças e adultos sendo fechados, ou reduzidos a tal ponto que quase não podem funcionar.

Enquanto o cuidado preventivo com a saúde mental definha no National Health Service (Serviço Nacional de Saúde), pelo lado positivo, agências de aconselhamento voluntário vêm tentando em nossas grandes cidades preencher a lacuna, e a psicoterapia particular floresce. Isso significa que quando se tem dinheiro, ou sorte de encontrar um tratamento barato ou gratuito, pode-se obter a ajuda necessária. Evidentemente, não são apenas as mulheres afetadas pela anorexia que sofrem com a atual crise, e nossos esforços para lhes garantir um serviço melhor devem ser vistos como parte de uma luta mais ampla no sentido de preservar o atendimento à saúde e ao bem-estar.

Dentro do próprio National Health Service, um extraordinário progresso vem me impressionando. Profissionais, como enfermeiras, terapeutas ocupacionais e dietistas, cujo trabalho não é oferecer aconselhamento pessoal ou terapia, perceberam essa falha e estão lutando para dar a seus pacientes aquilo que o "sistema" não lhes proporciona. Para os que acreditam que a psicoterapia exige o desenvolvimento de certas habilidades adquiridas apenas através de longo treinamento e supervisão, ver essas pessoas sem treinamento ou experiência oferecendo ajuda pode criar um dilema. Devemos insistir em que se abram mais postos de atendimento psicoterapêutico dentro do Health Service, mesmo sabendo que nossos apelos não serão ouvidos? Ou tentamos ajudar e apoiar esses profissionais que se esforçam para oferecer o que é necessário, mesmo que isso esteja fora do âmbito de sua especialização? Minha própria abordagem tem sido sempre ditada pelo pragmatismo. Acho melhor para a mulher anoréxica ter alguém com quem falar — ou talvez alguém que a ouça — do que não ter ninguém. Desde 1984 venho participando ativamente de cursos de treinamento, apoio e supervisão de funcionários da saúde que lidam com clientes anoréxicos, e durante esse período cresceu em mim um respeito muito grande pelo esforço deles. No Women's Therapy Centre (Centro de Terapia da Mulher), além de dirigir grupos e oficinas destinados a mulheres com problemas de alimentação, desenvolvemos um programa substancial de treinamento para profissionais que atrai homens e mulheres de todo o Reino Unido e também da Europa. Acho isso um sinal bastante encorajador.

Finalmente, uma palavra sobre prevenção. Quando escrevi *A experiência anoréxica*, acalentei a esperança de que, com uma compreensão mais ampla e completa dos problemas que originam o sintoma e algum *insight* de como atuam na mulher os processos e as pressões sociais, talvez se pudesse criar uma situação em que seu corpo não fosse mais "objeto" de tanta ambivalência e na qual seu sucesso e suas conquistas fossem mais constantes. Até esperei que aos poucos a incidência de anorexia começasse a diminuir. Tais esperanças, é claro, são ingênuas. A realidade tem sido quase o oposto. A ocorrência do distúrbio não dá sinal de declínio, e é particularmente preocupante o fato de que ela parece estar aumentando entre as mulheres africanas, as afro-caribenhas e as do subcontinente indiano que vivem na Grã-Bretanha. As mulheres parecem também estar desenvolvendo o sintoma cada vez mais cedo. Isso pareceria indicar que um número crescente de mulheres estão se sentindo atraídas pelo recurso da solução anoréxica.

Mais uma vez, há um lado positivo nisso. Outros profissionais da área vêm se preocupando com essa questão[5] e há uma conscientização cada vez maior da necessidade de estender nosso trabalho às salas de aula. Essa abordagem positiva, pensando no futuro, deve ser acolhida com muita alegria — mas receio que tenhamos ainda um longo caminho a percorrer.

Londres, 1988

INTRODUÇÃO

Este livro tem como objetivo, em primeiro lugar, ajudar as mulheres que sofrem ou crêem estar sofrendo de anorexia. Ele deve facilitar sua compreensão quanto ao que está ocorrendo com você, fazendo-a ver que suas dificuldades não resultam necessariamente apenas de suas próprias circunstâncias individuais, mas que elas são reflexo de problemas enfrentados por muitas mulheres em nossa sociedade. Deve ajudá-la a decidir de qual tipo de tratamento ou auxílio você precisa, e como pode encontrá-lo.

Sei muito bem que pais, professores, conselheiros e muitos outros membros das "profissões de auxílio" acham quase sempre que a anorexia constitui um conjunto de sintomas particularmente difícil de entender e de ser trabalhado. O segundo objetivo é ajudar essas pessoas a compreender melhor as questões envolvidas e a se sentir mais confiantes no que têm a oferecer às mulheres que vão até elas em busca de auxílio.

Apesar da vasta e crescente literatura sobre anorexia, há certos pontos fundamentais e muito intrigantes que até hoje permanecem inexplorados. Por que a grande maioria das pessoas que sofrem deste distúrbio são mulheres? Por que as mulheres da classe média (ou, mais exatamente, as instruídas) parecem ser as mais vulneráveis? Por que parece ser esse um problema do Ocidente rico, das regiões desenvolvidas e bem-alimentadas do mundo? E por que ele está aumentando?

Na tentativa de encontrar respostas para essas questões, torna-se claro que se encararmos a anorexia como uma forma de "doença mental" que aflige algumas infelizes, deixaremos de considerá-la um problema feminino que tem origens e raízes nas sociedades em que ela ocorre.

É preciso lembrar também que muitas mulheres, que de hábito não seriam classificadas como "anoréxicas", sentem realmente profundas e penosas dificuldades em matéria de comida e alimentação e na maneira como pensam a respeito de seus corpos. Talvez possamos dizer que, numa sociedade com atitudes tão ambivalentes e contraditórias em relação às mulheres e à feminilidade, quase todas nós, em alguma época de nossa vida, passamos por isso.

Podemos, portanto, começar a compreender a anorexia como uma extensão das dificuldades que temos com nosso peso e com a comida que comemos; ela não parece mais algo "diferente", fora do âmbito da experiência comum. Está de fato num dos extremos de uma cadeia de reações confusas e conflitantes que nós mulheres experimentamos em relação a nós mesmas. O terceiro objetivo deste livro, então, é oferecer um painel do desenvolvimento da mulher jovem, de sua posição nessa sociedade, e examinar por que algumas são afetadas por episódios anoréxicos e outras não.

O rótulo "anoréxico" é muitas vezes usado impropriamente. Quando se diz que uma mulher é "anoréxica", isso soa como a descrição de um estado permanente, como se ela tivesse assumido uma outra identidade. Esse tipo de descrição tende a mascarar a idéia que fazemos do problema. Talvez fosse mais proveitoso pensar nessa mulher como alguém que, num determinado estágio de seu desenvolvimento, não é capaz de achar outra forma de expressão para o que sente acerca de si mesma e dos outros. Se você se julga "anoréxica", é particularmente importante que você tente ver isso como um estágio ou fase de sua vida — e que você não precisa ficar presa a ele.

Nos últimos anos, fizeram-se várias tentativas de classificação das diferentes formas e tipos de anorexia. Embora tal classificação possa com certeza ser útil, resolvi não adotar essa abordagem aqui. Ao contrário, tentei focalizar a unidade subjacente aos vários aspectos do problema. Por exemplo, o distúrbio alimentar a que se tem chamado de "bulimia" é quase sempre excluído do rol das outras dificuldades com a comida. O adjetivo "bulímica" costuma ser usado para descrever mulheres que comem mas depois provocam o vômito. Elas estão muito preocupadas com a comida e o controle do peso, por isso o vômito é uma forma de não engordar e ao mesmo tempo comer muito. Se você tem esse tipo de distúrbio alimentar, grande parte do que se segue aplica-se a você, assim como àquelas que se mantêm magras evitando a comida.

Do princípio ao fim do livro, refiro-me à anorexia como sendo sempre um problema que afeta as mulheres. Sei porém que não é bem assim. Existe um número considerável e talvez crescente de homens anoréxicos. Aqueles com quem trabalhei devem, com toda a razão, se perguntar por que eu aparentemente os esqueci. Não é verdade. Minha preocupação aqui, porém, foi analisar por que tantos "anoréxicos" são mulheres, e não por que poucos dentre eles são homens. A anorexia é um problema estreitamente relacionado com a psicologia feminina, que por sua vez está ligada à maneira de ser da mulher no mundo. O fato de ela às vezes afetar também os homens indica apenas que a psicologia de homens e mulheres não é totalmente distinta: questões problemáticas para a maioria das mulheres podem ser igualmente difíceis para alguns homens.

Finalmente, costumo usar o termo "anorexia" de preferência ao nome completo e adequado do distúrbio — anorexia nervosa. Faço isso para simplificar.

1

ALÉM DA COMPREENSÃO

A anorexia nervosa é um fenômeno assustador e confuso demais para se tentar entender. Se você é uma mulher em meio a uma fase anoréxica, provavelmente sente-se tão perplexa com o que está lhe acontecendo como todo mundo. Até as pessoas que já se recuperaram há muito tempo desse mal acham difícil avaliar o que é tudo isso.

Para as que ainda não passaram pela experiência, a coisa toda pode parecer a princípio incompreensível. Existe a tentação de se procurar explicar a anorexia como se ela fosse uma doença, totalmente estranha à vivência da mulher "normal". As que são ou foram anoréxicas sabem como é assustador e alienante tentar explicar a outra mulher como elas se sentem e encontrar apenas a absoluta incompreensão ou, pior, ser tratada como louca.

Como muitas pessoas que trabalham com mulheres anoréxicas nunca tiveram essa experiência, a compreensão, para elas, é problemática. Digo isso com certa convicção porque passei alguns bons anos procurando compreender. De alguma maneira, este livro é um registro dessas tentativas.

Encontrei, primeiramente, uma mulher numa fase anoréxica aguda que já durava cerca de dez anos. Lembro-me bem da ocasião, embora na época não pudesse saber que esse seria um marco importante em minha vida profissional.

Eu era assistente social psiquiátrica; ela, uma paciente internada na unidade em que eu trabalhava. Eu me formara havia pouco, e meu treinamento me encorajava a interpretar meu papel como de certa forma "diferente", "diferente dos pacientes" com quem eu trabalhava. Na verdade, a maioria deles era bem diferente de mim. Eu tinha tido todas as oportunidades na vida, e eles, quase nenhuma. Seus sintomas eram a expressão dos maus-tratos, materiais ou emocionais, que a vida às vezes nos impõe. Até onde se podia compreender, não era difícil ver por que eles estavam lá e eu cá.

Então, Sandra entrou no meu consultório e no meu mundo. Eu a tinha visto antes nas reuniões de nossa ala e achava sua presença ali um enigma. Ela não era uma paciente "difícil" (ainda). Pelo contrário, era muito interessada e perceptiva. Uma jovem agradável que escondia parte do seu charme natural sob uma espécie de timidez. A não ser pela magreza, ela era um tipo bastante comum.

Eu já tinha ouvido falar de anorexia, é claro. Na escola, algumas garotas haviam "contraído" isso. As pessoas diziam que era influência da Twiggy. As garotas saíram repentinamente da escola e eu sempre pensei que elas realmente queriam ser modelos. Sandra parecia uma pessoa muito séria e não tinha jeito de quem quisesse ser...

Ela entrou e conversamos um pouco. Bastante, acho. Qual a sua idade? Apenas alguns anos mais nova do que eu. Sobre seu passado recente, fiquei sabendo que havia se formado numa universidade perto da minha e numa combinação semelhante de créditos. Conversamos sobre poesia e música. Ela realmente me fez pensar em Van Gogh. Era de fato uma pessoa muito envolvente e, nessa ocasião, não ficou muito claro para mim por que ela era "a paciente".

Ao ingressar na faculdade, seus sentimentos eram conflitantes. A família tinha seus problemas, e ela se sentia um tanto culpada por sair em busca de seu próprio desenvolvimento, deixando que eles se virassem sozinhos. Eu podia compreender isso. Não falei muito a meu respeito, naquela ocasião ou jamais, creio eu, mas ficou bem claro para mim naquela época que eu estava me *identificando* com Sandra e logo gostei dela.

Achei que deveria começar a explorar o que nos havia unido. Convidei-a a me contar suas dificuldades com a comida e com seu peso. A mudança foi dramática. Ela parecia assustada, falava depressa. Ela não sabia por que estava se sentindo assim, mas nunca experimentara nada tão forte antes. A comida, obviamente, era algo assustador. Ela continuava se sentindo gorda demais, apesar de sua deplorável magreza. Ela não podia reconhecer que estava "errada" e que provavelmente deveria engordar um pouco, mas a idéia lhe repugnava. Isto é uma loucura, considerei. Mas eu não estava falando com uma mulher maluca. Até cinco minutos atrás, antes de começarmos a falar de peso, Sandra era o tipo da pessoa com quem eu gostaria de conversar numa festa. Agora, esta outra era uma Sandra incompreensível. Eu não podia acreditar naquilo. Tinham me dito que as “anoréxicas” eram bastante irracionais. Mas ela não, a não ser com relação a seu corpo e à maneira como o alimentava.

Nesse relato curto e superficial do que deve ter sido uma entrevista igualmente um tanto curta e superficial está contida a explicação de muita coisa que aconteceu depois, não só entre Sandra e mim, mas também do meu crescente interesse pelo problema da anorexia.

Aos poucos fui aprendendo mais sobre Sandra. Comecei a vê-la como alguém que acha a vida difícil, de um modo mais geral do que eu percebera. O que me impressionou, em particular, foi seu imenso e inarredável sentimento de culpa. Ela se achava má e egoísta, o que certamente não era. Qualquer coisa que fizesse, a não ser que envolvesse um extremo sacrifício, era prova de sua imensa inutilidade. Ela se sentia uma parasita, uma coisa inútil, sem nada para oferecer. Meus protestos de nada adiantaram. Ela me ouviu falar da graça divina, mas sabia que não estava entre os escolhidos. Ainda continuava a mascarar esse profundo sentimento de inutilidade com um exaustivo e às vezes até entusiasmado compromisso de fazer as coisas certas, de melhorar e descobrir um meio de ser “útil”.

Meu problema era que eu não conseguia achar dentro de mim nada que me ajudasse a compreender o que Sandra me dizia.

A primeira brecha aconteceu quando eu estava tentando (até aquele momento em vão) relacionar suas dificuldades com a comida e o seu senso moral excessivamente desenvolvido. Vencida pela frustração e desejando que ela começasse a se ver como eu a via, me descobri erguendo a voz gritando: “Mas comer não é uma questão moral!”. (Se houvesse uma mesa por perto provavelmente eu teria dado um soco nela.)

Ela me olhou, ligeiramente divertida, e disse: “Bem... é”.

Não sei o que aconteceu em seguida, mas não pude esquecer o que ela disse. Estava certa, claro, *é*!

Comecei a entender a partir da minha própria experiência o que ela tinha querido dizer. A gula e a intemperança, nossas e alheias, nos ofendem moralmente. Pensem no sentimento depois do Natal quando todo mundo passou três ou quatro dias (ou mais se tivermos sorte) empenhados numa contínua intemperança. Sentimo-nos corrompidos pela nossa própria gula; não apenas no sentido físico, que pode ou não ser importante para nós, mas corrompidos no sentido moral também. A reação imediata é começar a correr, sair e jogar umas partidas de *squash* para “descarregar”. Essa reação não é simplesmente um remédio para o corpo, mas o esforço físico e as provas de resistência também salvam a alma. Nós nos comportamos como se o corpo fosse o espelho da alma. Os gordos, em virtude de sua aparência física, parecem nos dizer que são desleixados, preguiçosos, sem autocontrole e até sem sensibilidade. Sabemos que isso é mentira, mas nos comportamos como se não fosse. Sandra, manipulando cruelmente seu corpo até o ideal perfeito da magreza, tentava dizer de si mesma o oposto. Descobri que ela era uma asceta. E, o que é mais importante, que esses eram sentimentos que eu e outras pessoas éramos capazes de compreender.

Minha experiência com Sandra também me fez pensar nas atitudes das assim chamadas mulheres "normais" em relação à comida e a seu corpo. Comecei a perceber que o comportamento da maioria de nós é bastante estranho. Em geral, não nos consideram doentes, mas dizer que nossas atitudes em relação à comida, à alimentação e aos nossos corpos são "normais" é fazer um uso um tanto indevido da palavra. Não comemos apenas: fazemos dieta, nos preocupamos, controlamos o peso. Passamos também um tempo enorme absorvidas com assuntos ligados à comida: alimentando os outros e a nós mesmas, ou, em vez disso, comprando, cozinhando e jogando fora as sobras. O capítulo seguinte é uma tentativa de esclarecer o que penso sobre isso, de superar a idéia de que a anorexia é simplesmente uma dieta enlouquecida para emagrecer e de documentar o desordenado conjunto de relacionamentos da mulher com a comida.

Por essa época, comecei a ler livros sobre anorexia. A maior parte me deixava mais confusa ainda. Estava começando a receber um fluxo constante de informações sobre mulheres anoréxicas. Os livros pareciam não responder a nenhuma das perguntas que eu começava a formular. As mulheres que eu conhecia eram todas interessantes, preocupadas e inteligentes. Por que esse determinado grupo de mulheres, de repente, sem qualquer motivo, como parecia sempre, teve que desenvolver uma preocupação tão mortal com seus corpos e seu peso? O que estava acontecendo com elas, que não acontecia com os outros, que lhes dava uma noção tão precária de quem elas eram? Não estamos todas sujeitas às mesmas pressões sociais para que sejamos magras e tenhamos um físico que as pessoas aprovem? Por que algumas de nossas melhores e mais inteligentes representantes precisam expressar sua infelicidade de forma tão dramática e autodestrutiva?

A literatura feminista desse período parecia se concentrar nos fracassos das mulheres. O enfoque parecia recair sobre o motivo pelo qual não nos saímos bem nos estudos, não progredimos. E, no entanto, muitas das mulheres que eu estava entrevistando tinham ido ou estavam indo bem na escola e eram pessoas de sucesso. O capítulo 3 apresenta minhas tentativas de descobrir as respostas para algumas dessas perguntas.

Enquanto isso, Sandra continuava na mesma. Recebeu alta, foi readmitida e recebeu alta novamente. Ela vivia no fio da navalha. Não sabia como comer e não sabia como viver. Descrevia seus sentimentos em relação à comida como "estar vivendo num permanente estado de guerra civil". Sempre me pareceu que ela estava num cerco, mas ao contrário da maioria das pessoas sitiadas, os exércitos à sua volta procuravam alimentá-la e não fazê-la morrer de fome.

Nessa época, conheci Janet, uma mulher de trinta e poucos anos. Um dia ela me descreveu como passava suas horas de almoço percorrendo as lojas de doces, olhando as vitrines, sentindo o cheiro do pão fresco, pensando na possibilidade de entrar e comprar alguma coisa, porém jamais se aventurando a passar pela soleira da porta. Aquela imagem da mulher faminta, frente a frente com a abundância, mas incapaz de se alimentar, me impressionou profundamente. Eu não sabia como compreender isso, mas não pude esquecer o fato. Descobri depois que essa história é muito comum, e muitas mulheres irão reconhecê-la.

E aí veio Sarah. Ela ficava diante de uma janela aberta, sem mangas, em pleno inverno, até ficar roxa. A coisa que eu mais detesto é sentir frio e me lembro que fiquei muito triste por alguém achar que tinha que suportar isso, dia após dia. Mas Sarah estava lutando para superar sua natureza humana, que ela achava fraca. Aprendi também a reconhecer isso como uma compulsão que muitas mulheres compartilham.

Aos poucos comecei a perceber que essas mulheres pareciam suportar, e até buscar, sensações físicas como o frio e a fome para poder superá-las. O importante era a sensação de poder e controle que essa superação continha em si. O quadro foi se ampliando. Se a necessidade de subjugar e controlar o corpo era tão grande, então a origem certamente deveria ser a sensação de falta de controle em outros aspectos da vida.

Novamente foi possível compreender as dificuldades das mulheres anoréxicas com relação à vida, exatamente da mesma forma como compreendemos as dificuldades que todas nós encontramos em nossa vida.

A anorexia afeta uma área fundamental de toda experiência e preocupação humanas: o relacionamento entre nós e nosso corpo, entre nós e o que comemos. As reações de outras pessoas à anorexia parecem confirmar a idéia de que ela toca em pontos comuns a todos nós. A maioria das pessoas está muito *interessada* nela. A reação comum entre as mulheres quando ouvem falar dela é: "Gostaria de ter isso por uns tempos" ou "Estou precisando de uma dose disso aí". O que indica, acho, que muitas mulheres estão conscientes de que a porção de suas vidas referente à comida e ao seu físico não é inteiramente feliz.

Por outro lado, a maioria das pessoas acha o comportamento associado à anorexia muito estranho e bizarro. Parece ser o tipo de loucura com a qual podemos, na melhor das hipóteses, nos solidarizar, porém jamais, nem de longe, nos identificar. E de certa forma essa reação é legítima: não é uma experiência normal, e a maioria das pessoas nunca vai chegar a conhecê-la. Não é de surpreender que a mulher numa fase anoréxica se sinta freqüentemente mal compreendida. Ela provavelmente é mal compreendida.

Portanto, dizer que a anorexia desafia a compreensão lógica é quase certamente uma verdade. Porém fica mais fácil compreender quando reconhecemos que muitos sentimentos "normais" de outras pessoas em relação à comida e ao ato de comer, ao nosso corpo e peso, também não são aspectos particularmente lógicos de nossa própria experiência.

Quantas de nós, me pergunto, quando a vida começa a nos deprimir — o trabalho é muito difícil, nossa vida pessoal não está tão bem-ordenada como desejaríamos —, nos olhamos no espelho e achamos que se conseguíssemos perder uns quilinhos tudo ficaria bem melhor? Logicamente, a única coisa que pode acontecer é as roupas ficarem mais largas. E ainda a tentação de resolver problemas reais mudando nossa identidade física é algo que a maioria das mulheres já sentiu. Às vezes somos tentadas a viver no futuro com relação ao nosso tamanho e peso. Não é raro as mulheres comprarem roupas de um tamanho menor, dizendo a si mesmas: "Vou emagrecer — este é o incentivo que preciso para perder aqueles quilinhos". Talvez até aceitemos convites e planejemos as férias acreditando que até lá estaremos vestindo manequim 40 e não 42. Algumas podem conseguir realizar tal profecia; a maior parte provavelmente não e vai acabar usando o vestido novo ou o biquíni desejando ter comprado um tamanho maior.

Você provavelmente não vai compreender sua própria experiência se continuar pensando nela como uma espécie de doença, como se os "sintomas" tivessem caído de um outro planeta. Pelo contrário, devemos entendê-los como um distúrbio que se origina da própria experiência feminina no mundo.

É possível agora reconhecer que a anorexia não é o problema, e sim a solução. É a solução para um problema com o qual, à sua vez, achamos impossível lidar de outra forma. Se conseguirmos compreendê-la assim, podemos ver como é difícil desistir da anorexia.

Se é correto entender o episódio anoréxico como um grito de socorro, reconhecê-lo como um sinal de que a mulher precisa descobrir uma outra solução, ele é também um sinal de "Proibida a entrada".

As mulheres que já tiveram alguma experiência em matéria de anorexia sabem como é sentir-se segura dentro dos muros da solução que elas encontraram. O sentimento de que a anorexia a protege é perfeitamente legítimo. Ela o faz. Embora às vezes possa representar um estado físico e mental extremamente doloroso e angustiante, é como se *você* estivesse segura por dentro.

Uma forma de compreender essa sensação de segurança que a anorexia proporciona é o uso da idéia de identidade falsa e verdadeira.[1] Por "identidade falsa" não estou querendo dizer alguma coisa esquisita, artificial ou desonesta. Ao contrário, é preciso entender a identidade falsa como uma tentativa positiva de proteger a identidade verdadeira, que se sente ameaçada e vulnerável.

Não há nada de errado em precisarmos de alguma coisa que nos proteja. Se fôssemos expor ao mundo nossa verdadeira identidade *o tempo todo*, estaríamos tão vulneráveis que viver seria insuportável. Portanto, todas nós, de algum modo, precisamos desenvolver uma identidade falsa que possa absorver alguns golpes.

Para certas pessoas, a identidade falsa pode não passar da capacidade de ser educada e condescendente em determinadas circunstâncias: manter uma atitude social correta, por exemplo, que não esteja diretamente relacionada com o que está se passando no íntimo. Outras desenvolvem uma identidade falsa no trabalho, protegendo aquele nosso lado precioso e vulnerável com uma fachada de competência e maleabilidade. Temos o que nossos amigos chamam "voz de telefone", que abandonamos assim que percebemos que é um amigo que está do outro lado da linha.

Da mesma maneira, pensamos nos sintomas da anorexia como uma espécie de concha protetora. Ela não é a verdadeira pessoa, mas ela a esconde e protege. O importante é que a identidade verdadeira continua ali debaixo.

Não raro, as mulheres que estão passando por uma fase anoréxica sentem como se para elas não existisse mais nada além da estrutura defensiva de seus sintomas. Stella, uma professora de vinte e dois anos, disse numa sessão inicial de aconselhamento: "Sabe, às vezes penso que morri. É como se meu corpo não tivesse percebido isso. Estou morta por dentro. Não tenho nenhum sentimento. Não tenho nem mesmo pensamentos próprios. Penso em comida... bem, acho que o tempo *todo*. Gostaria que não fosse assim, mas as idéias surgem, e não consigo me livrar delas. É realmente uma obsessão".

Aquilo que Stella descrevia era realmente sua maneira de enfrentar a situação. Ela conseguira ocultar sua verdadeira identidade a tal ponto que nem mesmo vivia sua existência. Mas o que ela usara para isso? E o que a anorexia estava dizendo? Usando a anorexia, ela tinha criado uma concha forte e invulnerável. Esta não precisava de amor, amizade ou comida. Não tinha ligação com ninguém ou coisa alguma ao seu redor. Era completa e contida em si mesma. Havia declarado sua independência.

Se compreendermos a experiência de Stella como uma forma de enfrentar a situação, de tentar proteger sua verdadeira identidade, então poderemos esperar encontrar por baixo dessa superidentidade todas as características negadas pela anorexia, isto é, sua identidade vulnerável, dependente, com todas as necessidades de uma menininha infeliz. Quando Stella começou a falar de si mesma, estava muito deprimida pela falta de objetivo de sua rígida e solitária existência. Porém, a idéia de desistir da solução era assustadora demais.

Stella descreve sua preocupação com a comida como uma obsessão. Muitas de vocês provavelmente descreveriam suas próprias dificuldades da mesma maneira. Ter uma "obsessão" realmente significa perder o controle da freqüência com que se pensa em alguma coisa e da energia e seriedade dedicadas a esses pensamentos. É impossível ignorá-los, porque isso gera muita ansiedade. Quando se tenta ignorar os pensamentos ou resistir às ações compulsivas que eles provocam, experimenta-se um conflito interno enorme, cuja pressão só será aliviada voltando-se aos rituais e cedendo à obsessão.

Os pensamentos obsessivos tendem a surgir quando nos vemos diante de um conflito que não conseguimos resolver. A origem do conflito — nossos sentimentos íntimos contraditórios — se perde e fica reprimida. A obsessão, embora por si mesma dolorosa e difícil, nos permite continuar inconscientes da verdadeira natureza de nossas necessidades conflitantes. Às vezes, a própria natureza da obsessão nos dá algumas dicas sobre o conflito que ela esconde. No caso da obsessão anoréxica com a comida, este parece ser o cuidado consigo mesma: receber coisas boas e se dar coisas boas. Sentir uma necessidade desesperada de alimento e ao mesmo tempo uma compulsão real de evitá-los pode nos levar a imaginar se o conflito original que a "obsessão" oculta não estará na área da dependência *versus* independência, na necessidade de ser cuidada contra a necessidade de se virar sozinha. O aspecto obsessivo da anorexia é, sem dúvida, uma necessidade desesperada de manter o controle — e, no entanto, existe muitas vezes uma sensação opressiva de que a perda do controle não está muito longe.

Uma das dificuldades centrais desse conjunto de sintomas que chamamos de anorexia é que eles realmente são eficientes. Portanto, se posso descrevê-lo como um conjunto de defesas que protegem o íntimo da mulher de uma variedade de conflitos dolorosos de sua vida, isso não quer dizer que você necessariamente vai vivenciar suas dificuldades assim. Sheila MacLeod[2] descreve essas dificuldades ao se lembrar de seu próprio episódio anoréxico na adolescência: ela relata sentimentos superficiais e ocultos da anorexia como um texto e um subtexto, sendo este último negado tanto pela própria Sheila como pelos que a rodeavam.

"O corpo magrinho da anoréxica proclama: 'Venci; sou alguém agora'", ela escreve. Mas a magreza, ao contrário da esbelteza, também traz conotações de imponderabilidade e vazio. O subtexto a ser lido naquele "o corpo magrinho" é "Não peso/sem valor; Sou vazia/ninguém. É isso que significa meu comportamento". A estratégia funciona através de um paradoxo, que finalmente se resolverá por meio de uma espécie de fusão do texto aparente com o subtexto. Mas na primeira fase eufórica da doença, só o texto aparente é reconhecido pela anoréxica.

Mais tarde ela diz: "Descobri uma parte de minha vida sobre a qual os outros não têm controle. E embora o subtexto de minha crescente magreza (que eu preferia ignorar) dissesse: 'Faço isso porque me sinto tão dependente, que nem mesmo meu próprio corpo me pertence', a leitura do texto aparente para mim, e cada vez mais para as outras pessoas, era: 'O corpo é meu e posso fazer com ele o que eu quiser' ".

O importante aqui é que foi só na retrospectiva que Sheila foi capaz de ler o subtexto, de compreender o significado oculto do que estava lhe acontecendo.

Se é verdade que a mulher anoréxica não tem a menor idéia de que seu sintoma mascara sua identidade vulnerável, que o texto tem um subtexto, então o que eu tenho a dizer aqui de nenhum modo vai ajudar quem quer que esteja nessa situação. Por sorte, não há nada definitivamente esclarecido. Ainda que você necessite da proteção de sua anorexia para resguardá-la de algumas implicações dolorosas de seus próprios conflitos particulares — e a curto prazo acredito que "necessitar" seja a palavra certa —, às vezes você ainda pode ser capaz de perceber que há algo além disso.

Reconhecer que temos necessidades é sempre um passo doloroso e assustador; é muito mais seguro negá-las e fazer um esforço para ser forte e auto-suficiente. Durante uma fase anoréxica, talvez você tenha conseguido negá-las a tal ponto que não as reconhece mais; pode perder o "contato" com determinados aspectos de si mesma. O processo de recuperação passa a ser, assim, o da redescoberta.

A abordagem sugerida aqui é um incentivo para que você acompanhe seu próprio ritmo, avalie e redescubra o que há por trás de sua anorexia, assim que estiver pronta. É importante que você não se sinta forçada a desistir de sua solução antes de poder iniciar o processo de redescoberta. Todas nós precisamos de defesas em épocas diferentes de nossa vida. Só podemos tentar abandoná-las se nos sentirmos seguras.

As pessoas que trabalham com mulheres anoréxicas devem apoiá-las e assisti-las na sua tarefa de redescobrir a identidade e aprender a se controlar sem a anorexia. Elas precisam ser capazes de compreender e respeitar a solução adotada pela mulher anoréxica, ao mesmo tempo em que cuidam daquela que está no seu interior.

Por fim, um aviso. Uma das dificuldades que você pode encontrar na leitura deste livro é como interligar o que eu digo na primeira parte e o que apresento na segunda.

Na primeira parte estou preocupada em situar nossa compreensão da anorexia num contexto social bem mais amplo do que se costuma fazer, abrangendo a vasta complexidade de todas as relações com a comida, as estruturas do poder e da indústria que determinam o tipo de alimento que comemos e produzimos, assim como os efeitos das chocantes disparidades entre os hábitos alimentares do Ocidente rico e do Terceiro Mundo faminto. Acentuo as dificuldades que meninas e mulheres enfrentam para encontrar espaço tanto no mundo da educação quanto no profissional, e o efeito das idéias prevalecentes sobre a feminilidade e nossa capacidade de nos aceitarmos como pessoas ao mesmo tempo bem-sucedidas e femininas.

Na segunda parte do livro, discorro sobre como as mulheres anoréxicas podem se ajudar e ser ajudadas a retomar um padrão de relações mais equilibradas com seu corpo e a maneira como cuidam dele. Focalizo questões bem mais pessoais, como a infância, os relacionamentos familiares, as esperanças, medos, ambições e fantasias dessas mulheres.

Em outras palavras, enquanto na primeira parte o livro parece sugerir a necessidade de uma reação *social* para o problema dos distúrbios alimentares, na segunda apresento a *individual*.

Esse relacionamento entre a análise social e a individual é um problema bem real. E *slogans* como "O que é pessoal é político" não dizem muita coisa. Ou, pelo menos, não dizem muito, se desejamos nos modificar. Não podemos esperar que as empresas multinacionais, que determinam o que comemos e que aparência devemos ter, mudem da noite para o dia. Nem que mudem nossas confusas e contraditórias expectativas de que as jovens mulheres milagrosamente entrem nos eixos. Isto não é desculpa para que deixemos o mundo exatamente do jeito que está. Mas, enquanto isso, as mulheres que se sentem profundamente perturbadas no relacionamento com seu corpo devem achar um meio de viver neste mundo — e não num outro qualquer.

Ainda assim, não devemos cair na tentação de compartimentar esses dois aspectos do problema, como se eles fossem totalmente distintos. Se excluirmos o mundo social em nossas tentativas de resolver as dificuldades individuais, não importa a profundidade do mergulho na psique em busca de causas e explicações, jamais as acharemos. Ao contrário, creio que devemos basear nossa compreensão nas experiências interiores e exteriores. A tarefa é, portanto, trabalhar com as pessoas para tornar essa compreensão real segundo suas próprias vivências.

2

UM ESTRANHO SINTOMA NUM MUNDO MUITO ESTRANHO

Quase todos os autores que têm escrito sobre anorexia nos últimos anos reconhecem sua relação com a atual obsessão social em ser esbelto.[1] Mas se é verdade que uma enorme máquina de propaganda, combinando serviços de saúde e anúncios particulares, incentiva atualmente as pessoas, e as mulheres em particular, a observar com atenção aquilo que comem, também é ainda mais verdadeiro que, para viver, é preciso comer.

Como mulheres, temos e sempre tivemos um relacionamento particularmente complexo e profundo com a comida, tanto em termos de produção, suprimento e preparação como de consumo. Para começar a entender como e por que as mulheres desenvolvem distúrbios alimentares, é preciso pensar antes de tudo na vasta complexidade da organização da produção e do consumo de alimentos, na qual as mulheres em geral são envolvidas. De outra forma, poderíamos facilmente cair na armadilha de acreditar que tudo começa e termina com a esbelteza.

Comida: um grande negócio e assunto feminino

O alimento, no mundo ocidental, jamais esteve disponível com tanta abundância e variedade como hoje em dia. É difícil passar uma hora que seja de nossa vida sem que nos lembrem de sua importância. Comer não é mais uma questão de subsistência. Cada aspecto dessa atividade sustenta uma enorme indústria de consumo fabricando produtos especializados. Há alimentos para bebês, para crianças, refeições rápidas, alimentos integrais e, é claro, os de baixa caloria.

Não somos apenas bombardeados com apelos para compra de produtos, mas também com artigos, revistas e livros falando deles e de filosofias da alimentação.

Grande parte de nossa atividade social se passa em meio a refeições. Comer juntos, seja num jantar informal com amigos ou numa recepção, sempre fez parte da maneira como desenvolvemos nossos relacionamentos. E ainda que comer fora — num restaurante ou numa lanchonete — seja hoje um hábito comum, cozinhar e comer, como no tempo da vovó, continuam sendo o ponto central de nosso conceito de vida familiar. Ainda se julga o lar pela quantidade e qualidade de comida que ali se faz e se come. As mulheres ainda freqüentemente julgam a si mesmas e entre si pelo critério de "mesa farta".

A alimentação é realmente um grande negócio. Mais de dois milhões de pessoas no Reino Unido estão empregadas apenas na indústria de abastecimento. Acrescentem-se a elas as inúmeras outras trabalhando na produção, processamento e embalagem, e as dimensões econômicas parecem imensas. Mas a indústria alimentícia traz em si um problema real: quando sobem os salários, ela procura nos convencer a gastar mais com seus produtos, enquanto há um limite para a quantidade real de comida que somos capazes de consumir. Somos, portanto, incentivados a comprar alimentos mais caros e, o que é mais importante, aqueles que geram maior margem de lucro para os fabricantes. O trabalho de nos convencer a comprar batatas preparadas, semipreparadas, no lugar das batatas ao natural, é um empreendimento bastante sério. A variedade de opções que temos como consumidores é limitada pela preocupação com a propaganda e o marketing.[2]

Tudo isso para nós, no Ocidente, está associado à noção de que o problema central do mundo atualmente é sua aparente incapacidade de alimentar toda a população. O alimento para nós, portanto, é uma faca de dois gumes. Não nos permitem esquecer as preocupações de nossa própria sociedade com o problema, mas continuamente nos lembram de que nos banqueteamos às custas da outra metade do globo. Isto, é claro, quando não nos dizem que morreremos de tanto comer e que se adotássemos uma dieta "terceiro-mundista" viveríamos duas vezes mais.

Não é de espantar que nosso relacionamento com a comida seja confuso.

As mulheres são os principais, e geralmente exclusivos, alvos de toda a propaganda sobre comida, seja médica ou comercial. A alimentação em nossa sociedade, e em muitas outras, é considerada um encargo feminino. É um dos poucos aspectos da vida sobre o qual se espera que tenhamos controle. A responsabilidade pela provisão alimentar não significa apenas cozinhar (embora no lar isso seja costumeiro). As mulheres gastam um tempo enorme *pensando* em comida, comprando, planejando refeições, estudando os prós e contras nutricionais dos diferentes alimentos, tentando conciliá-los com as preferências dos outros, nosso próprio tempo e, é claro, os limites do orçamento familiar.

Ehrenreich e English[3] traçam a história da elevação do trabalho de cozinhar e cuidar da casa, antes apenas uma tarefa secundária, a atividade científica — uma vocação feminina! As ciências domésticas garantiram seu predomínio sobre as mulheres nos convencendo da grande responsabilidade e de todos os perigos e armadilhas existentes na criação e manutenção de uma família saudável. Como Anna Davin[4] observou num artigo sobre "Imperialismo e maternidade", na Grã-Bretanha vitoriana e eduardiana uma propaganda muito intensa teve como alvo as responsabilidades ainda mais amplas da mulher em manter em boa forma e saudável uma nação, o que muitas vezes se chamou de a "virilidade" da "Raça Imperial". Se pararmos um pouco para pensar na quantidade de tempo e energia que ainda despendemos planejando refeições, além do que gastamos na compra e no preparo dos alimentos, perdoem-me por chegar à conclusão de que "engolimos" toda a propaganda — chumbo, anzol e linha!

A comida é o meio através do qual nós, mulheres, demonstramos amor e cuidados com nossos filhos, amantes, maridos e amigos. Mesmo nas famílias em que há homens que cozinham, eles costumam assumir o papel de *chef*. A mulher vai ao mercado, carrega as compras e ainda lava a louça. São muito poucos, por exemplo, os homens que preparam o lanche das crianças, ou se sentem responsáveis se em casa está faltando café ou sucrilhos. A alimentação dos bebês e das crianças pequenas é considerada uma atividade tão fundamentalmente feminina que quase toda a literatura sobre o assunto usa os termos "mãe" e "nutridora" alternadamente.

Como o alimento é necessário à vida e à saúde, nós, mulheres, já que controlamos sua provisão no lar, assumimos a responsabilidade pelo conforto, saúde e, em última instância, pela vida dos outros.

Mas comer é também uma atividade agradável. Alimentar é uma das principais maneiras pelas quais a mulher agrada as pessoas de quem ela gosta. Cuidar da preparação do alimento é um ato de amor. Da mesma maneira, a recusa em comer o alimento que alguém preparou pode significar uma forte rejeição. Todas as crianças sabem disso, e sua recusa em comer, em nossa cultura, é a arma tradicional usada por elas na sua luta por autonomia. É porque compreendemos seu significado simbólico que muitas de nós, mesmo adultas, temos enorme dificuldade em recusar a comida que nossas mães nos oferecem — mesmo que na verdade não queiramos comê-la.

Ter um filho de apetite instável e caprichoso é um pesadelo para qualquer mãe, embora ela inconscientemente estimule esse tipo de comportamento, ao exagerar nos esforços para atrair seu interesse. Ela fica aflita e se sente culpada se a criança não come.

A culpa é um componente essencial no papel das mulheres como nutridoras. E em geral as mães não conseguem sair vitoriosas. A sociedade ocidental moderna conseguiu emperrar as engrenagens do relacionamento mãe e filho através da comida. Não importa o que fazemos, o conflito parece entranhado em nosso papel de responsáveis pelo cuidado e alimentação das crianças. Todas as mães, por exemplo, sabem que seus filhos precisam de alimentos nutritivos. Elas sabem, também, que esta é a última coisa que eles querem comer. Dê a eles sanduíches, balas e biscoitos, e eles a amarão. Mas aí você vai ter que conviver com a culpa em relação aos seus dentes, peso, vitaminas. Dê-lhes "alimentos integrais", agüente as reclamações, o desperdício, as comparações desfavoráveis com outras mães, e você poderá se refugiar no fato de que é realmente uma Boa Mãe — embora ninguém pareça ter percebido isso!

Essa educação simbólica através da alimentação é um tema muito forte e recorrente na vida das mulheres. Mas ele se torna complicado, não tanto pelas próprias mulheres, mas pelas pressões conflitantes, na forma de conselhos, orientação e pedagogia que o cercam. Como mulheres, estamos sujeitas a essas autoridades alarmantes e contraditórias, ainda mais se mais tarde viermos a ser mães. As que não chegam a se tornar anoréxicas herdam as mesmas dificuldades que algumas de nós têm em relação à comida. Aquelas de nós que não têm filhas anoréxicas ainda assim transmitem nossas dúvidas e perplexidades da mesma forma que as outras que têm. É preciso lembrar isso ao lermos livros sobre anorexia. Até Even Hilde,[5] que contribuiu de maneira profundamente perspicaz e útil para nossa compreensão do problema, tende a ver as mães de mulheres anoréxicas como sendo de alguma forma diferentes das mães "comuns". Ela acha que as mães das meninas anoréxicas costumam ser excessivamente preocupadas com o bem-estar físico de seus filhos, em detrimento das outras necessidades que as crianças possam ter. Também sugere que elas são por demais ansiosas e solícitas em relação às exigências nutricionais de seus filhos quando são mães muito jovens. Pode ser verdade, mas, diante do que se disse sobre as mulheres como alimentadoras deve valer para todas as "boas mães" — não só para as que têm filhas anoréxicas! Lemos livros sobre cuidados com os bebês, as parteiras e enfermeiras nos dizem o que fazer, assim como os médicos e até o supervisor sanitário. Nossas próprias mães, ou outras mulheres mais velhas, fazem o mesmo. O que esperam de nós? Espontaneidade?

Até aqui falamos das mulheres como nutridoras. E o que dizer delas como pessoas que se alimentam? A situação neste aspecto se torna ainda mais confusa e cheia de conflitos.

Quando meninas, aprendemos a comer para agradar e tranqüilizar nossas mães, não para nosso prazer e satisfação. Ao nos tornarmos por nossa vez as provedoras de alimentos, novamente é para agradar e demonstrar cuidado com os outros. Se quisermos ter um relacionamento "natural" e espontâneo com a comida, se quisermos comer por nós mesmas, vamos ter muito trabalho até aprendermos a fazer isso; essa não é nossa herança "natural".

Num *workshop* recente, para mulheres que acreditam ter dificuldades com a alimentação, fiz a seguinte pergunta: Quantas vezes vocês compram e preparam aquilo que realmente gostariam de comer? A resposta unânime foi: "Quase nunca". Mesmo as que não precisam cozinhar para os outros raramente comem o que gostariam de comer. O hábito de comer estava cerceado por uma série de "deve" e "precisa" que tinha o efeito de torná-lo mais um castigo do que um prazer. As conversas com mulheres que não se consideravam particularmente problemáticas em relação à comida revelaram um quadro semelhante. Muitas disseram evitar ter em casa seus alimentos preferidos, para não comer demais, embora sempre se assegurassem de ter bem abastecidas as preferências dos outros.

Portanto, parece que comer é uma fonte de prazer, mas nem sempre o é para as pessoas que têm a responsabilidade de prover alimentos. As mulheres controlam a comida e ao mesmo tempo negam a si mesmas esse prazer.

Há algum tempo estava sendo veiculado na televisão um comercial curioso que parecia incorporar essas contradições, pelo menos em parte. Nele, uma mulher dançava, erguendo um prato fumegante de uma determinada marca de batatas fritas. Ela dizia cantando que o homem que a estava seguindo gostava dela apenas por causa de suas batatas. (Que, por acaso, não eram dela, e sim do fabricante.) O homem protestava dizendo que era a ela que ele amava. Mas ela sabia disso e no entanto o atraía com o aroma das batatas fritas.

O interessante neste anúncio é que a mulher era extremamente magra, e era óbvio que há anos não via uma batata.

Portanto, qual é a mensagem que há aqui para as mulheres? Que temos um certo poder sobre os homens como nutridoras. Podemos usar esse poder para conquistar o amor deles. A outra parte de nosso poder é a capacidade que temos de ser sexualmente atraentes e desejáveis. Também podemos usar isso para cativar o amor dos homens, mas só se não comermos as comidas que lhes damos.

O comercial funciona porque retrata simbolicamente o que já sabemos. A mensagem nos chega de várias direções. Vimos nossas mães alimentando nossos pais; mas elas mesmas só ficavam observando-os enquanto comiam. Vemos revistas cheias de pratos tentadores para "a família"! Sempre acompanhados de regimes para nós. E modelos de roupas para mulheres com o "manequim ideal".

O que as mulheres aprendem é que a comida é para todos, menos para elas.

Alimento para o espírito: a tradição ascética[6]

Quem nunca vivenciou a anorexia costuma achar que ela se origina do desejo que as mulheres jovens sentem de se fazerem mais atraentes num sentido puramente "estético". De fato, como sabem muito bem as mulheres que já passaram pela experiência, raramente isso é tão simples assim. Algumas de vocês realmente não lembram como tudo começou; para outras, a origem está numa sensação muito persistente de insatisfação com a vida — o que, parece, se resolverá com a perda de peso. Muitas de vocês já emagreceram antes acidentalmente, talvez devido a uma doença ou um período de tristeza.

Quando a mulher atinge o ponto em que fica bem definido seu estado anoréxico, ela não tem mais interesse em ser atraente. O que importa para ela são suas percepções e sentimentos sobre si mesma.

Se as jovens que se tornam anoréxicas não estão passando fome em busca de um ideal estético, como entender, a partir de nossa própria experiência cultural, alguns dos fatores envolvidos nessa reação?

Existe em nossa cultura um elemento poderoso, embora não reconhecido, no impulso que muita gente sente de controlar e limitar a comida que ingere. Em outras sociedades, com base declaradamente mais religiosa, esse elemento chama-se "ascetismo". O jejum sempre foi uma prática importante dentro dessa tradição, seja na forma de ritos severos e ocasionais ou numa restrição mais prolongada de alimento. No Ocidente cristão, a Quaresma é provavelmente o último vestígio de jejum prescrito. Mas o que é esse ascetismo? Por que as pessoas o praticam?

Somos encorajados a considerar a renúncia como uma coisa "boa". A intemperança é quase universalmente vista como sinal de fraqueza moral. Nesse aspecto, ela está, no âmbito alimentar, em igualdade moral com outras formas de transgressão. "É ilegal, imoral ou engorda" e "faz mal mas é gostoso" são expressões familiares mas fortes nessa relação.

A capacidade de restringir a quantidade de comida ingerida e de perder peso traz consigo um crédito moral de amplas conseqüências, com implicações de força de vontade e poder de "resistir às tentações".

Nas culturas mais antigas essa renúncia esteve sempre associada à negação do prazer e da satisfação sexual, ambos considerados "pecados da carne". A assim chamada revolução dos sexos tornou a satisfação sexual quase obrigatória. Mas sexualidade e comida continuam associados, mudou-se apenas a forma. De maneira bastante clara, a aceitação sexual da mulher depende de sua esbelteza.

O elo entre atração sexual e magreza nas mulheres é considerado um fenômeno do século XX. As mulheres, hoje em dia, devem se conformar com um estereótipo mais rígido e limitado do que antes. Mas num outro sentido mais profundo e menos evidente, a necessidade da mulher de ser aceita sempre dependeu de nossa capacidade de negar o corpo e subjugá-lo.

O ascetismo e a complexa história das tentativas de homens e mulheres de atingir a perfeição moral apóia-se na idéia do dualismo corpo e espírito. Considera-se o lado físico da natureza humana inerentemente pecador e impuro. Ele tende sempre a puxar para baixo, para o nível do impuro e do profano, o espírito que se eleva. O objetivo dos exercícios ascéticos tem sido descrito como o de "libertar a alma da prisão do corpo".[7]

No caso das mulheres, esse dualismo entre corpo e espírito é básico para nossa socialização. Considera-se o corpo das mulheres, mais do que o dos homens, impuro, contaminado e moralmente perigoso. As crenças a respeito dos efeitos contaminadores da menstruação nas assim chamadas sociedades "primitivas" são bem conhecidas.[8] No entanto, não faz muitos anos que em nossa própria cultura uma mulher menstruada foi impedida de entrar numa leiteria para não azedar o creme de leite.[9] De fato, desde que Eva fez Adão pecar, nós mulheres estamos vivendo à sombra de nossos perigosos corpos. Na busca de valor moral, as mulheres devem achar uma forma de se dissociar de seus corpos.

Pela sua própria natureza, elas nunca são totalmente controláveis, e a maioria de nós já teve a experiência de ver seu corpo agindo de forma maliciosa, estranha. Na puberdade eles começam a assumir sua forma natural, independentemente de nossa vontade. Durante toda a nossa vida, eles continuam resistindo a pelo menos algumas de nossas tentativas de os controlar e regular. A poderosa mitologia social que interpreta os corpos "incontroláveis" das mulheres não como algo natural e miraculoso, mas sim como tentadores e maléficos, serve apenas para intensificar e tornar maior o medo que sentimos de nós mesmas.

Podemos considerar que a possibilidade de nos tornarmos "anoréxicas" implica que tomemos literalmente o dualismo corpo e espírito? Que o grau de culpa que a mulher numa fase anoréxica sente ao comer não se explica apenas pelo seu medo de engordar? Que o desejo e a necessidade de limitar e controlar a ingestão de alimento representam um esforço moral, uma tentativa de provar que ela é moral e espiritualmente forte e digna?

Se esta mulher vê a si e a seu corpo como duas entidades separadas e distintas, ela acha que maltratando-o está fazendo bem "a si mesma". As agressões ao seu físico não podem lhe fazer mal. Pelo contrário, só a tornarão melhor.

Há evidências de que as mulheres anoréxicas sentem uma repugnância particularmente forte em relação a seu próprio corpo. Hilde Bruch[10] menciona a dificuldade de suas pacientes em aceitar a menstruação, e Sheila MacLeod[11] faz uma memorável descrição do horror que sentiu quando ficou menstruada pela primeira vez. A anorexia tem o efeito não só de livrar o corpo feminino de suas curvas perturbadoras como de provocar a suspensão temporária do período menstrual. Este provavelmente é o ponto mais próximo do controle de seu corpo a que uma mulher poderá chegar! Além disso, a anorexia satisfaz a necessidade moral de renúncia. Pelo menos inicialmente, é claro, a perda de peso também provoca a admiração dos outros, pois parece se ajustar à obrigação social que as mulheres sentem de ser magras. Só quando começamos a perceber a sutil combinação das necessidades femininas que a anorexia satisfaz é que compreendemos por que ela representa uma solução tão sedutora.

Deselegante — porém caracteristicamente feminina

Há ainda uma outra linha na mitologia social que define o relacionamento entre nós mulheres, nosso corpo e a comida que comemos. Existe a idéia de que o ato de comer é uma atividade "pouco feminina".

O romance de Aldous Huxley, *Chrome Yellow,*[12] nos conta uma pequena história que retrata nitidamente a qualidade etérea, a espiritualidade, que é um aspecto tão importante do encanto feminino. É a história das três senhoritas Lapith. Quando George Wimbush vai jantar com a família Lapith, fica impressionado com a beleza espiritual das três moças. O que particularmente lhe chama mais a atenção é que durante toda a refeição elas mal comem. Isto é o que elas dizem quando ele comenta sua aparente falta de apetite:

— Por favor, não me fale em comer — disse Emmeline, inclinando-se como uma planta sensível. Minhas irmãs e eu achamos isto tão pouco espiritual! Não se pode pensar na própria alma quando se come!...
Ele, por sua vez, as achou maravilhosas, maravilhosas, especialmente Georgiana. Esta era a mais etérea de todas; das três, era a que menos comia, desfalecia com mais freqüência, falava mais de morte e era a mais pálida. Ela parecia prestes a perder o precário controle deste mundo material e se tornar puro espírito.

O sr. Wimbush segue adorando sua etérea e inatingível Georgiana. Um dia, incapaz de controlar sua paixão, sem ser convidado, ele vai à casa dos Lapith. Insinuando-se furtivamente, descobre uma escada secreta. Sobe e vai dar num quarto, onde encontra as três senhoritas Lapith... comendo, e bem à vontade! Ele sai esbarrando em tudo, horrorizado, e Georgiana fica tão envergonhada que concorda em se casar com ele para garantir seu silêncio.

Perderia Georgiana Lapith a oportunidade de se casar se ficassem sabendo que ela era realmente mortal?

Parece que a debilidade física, ou pelo menos a falta de vigor físico, é considerada um atrativo feminino. Ehrenreich e English fazem um relato surpreendente da associação entre estado doentio e feminilidade nas últimas décadas do século XIX entre as classes média e alta na Inglaterra e na América. A doença e a invalidez tornaram-se o estilo de vida de tantas mulheres naquela época, que não seria exagero descrever o fenômeno como epidêmico. Eles observam que "desenvolveu-se uma estética mórbida, na qual a doença era vista como a origem da beleza feminina, e beleza — no sentido da elegância, da moda — era de fato uma fonte de doenças. Os quadros românticos não se cansam de retratar a bela inválida, reclinada sensualmente sobre as almofadas, os olhos trêmulos fitos no marido ou no médico, ou já perdidos no Além".[13]

É difícil resistir ao paralelo entre o culto à invalidez descrito no século XIX e a epidemia de anoréxicas que aflige, hoje, as jovens privilegiadas. O mal-estar do século XIX recebeu vários rótulos.[14] Os sintomas não eram idênticos aos que observamos na anorexia, embora os efeitos de ambos sejam notavelmente semelhantes. Ambos tornam imprestáveis mulheres que de outra forma estariam em situação de viver sua vida de maneira útil e desafiante. Ambos são distúrbios da abundância e não da carência. Os dois implicam uma ambivalente espécie de conformidade ao ideal romântico do ser débil e espiritual que está correndo o risco iminente de definhar. Um e outro incidentalmente dão a um número bem grande de "especialistas" que se oferecem para tratar dessas mulheres infelizes, mas que raramente as curam, a oportunidade de alcançar a fama e a fortuna.

Anteriormente sugeri que o ato de comer era visto no passado como uma atividade "pouco feminina". "Mas", talvez argumentem algumas mulheres, "já ultrapassamos isso. Pode ter sido verdade um dia, mas será que depois de vinte anos de liberação feminina as mulheres não têm pelo menos permissão para comer?"

Não, acho que não! Num grupo de mulheres bulímicas com o qual trabalhei, elas foram unânimes em afirmar que achavam o ato de comer essencialmente pouco feminino. Não falavam de comer em excesso, mas simplesmente de comer. Muitas mulheres que não se descrevem como tendo algum problema particular com a comida compartilham esse mesmo sentimento em relação à feminilidade. "Tenho bom apetite, mas se estou saindo pela primeira vez com um namorado, fico ciscando a comida, como se não estivesse interessada nela. Não é muito romântico comer como um porco, não é?"

Talvez Kim Chernin esteja certa na sua vigorosa descrição da tirania da magreza, *Womansize*. Ela acredita que o movimento feminino não só falhou em tornar nossas imagens de feminilidade mais realistas, mas, ao contrário, contribuiu exatamente para o oposto. Ela diz: "Estou sugerindo que a nova consciência das mulheres acerca de nossa posição na sociedade se dividiu em dois movimentos divergentes — um em direção ao poder feminino, o outro que dele se afasta, sustentado pelas indústrias das dietas e da moda, as quais compartilham o medo desse poder".[15]

Elegantíssima: conseqüência da moda?

É hora de encarar com mais rigor o mundo da moda feminina, tantas vezes acusado de ser a origem de todos os nossos males.

Desde os mais antigos registros que se tem da moda, espera-se e exige-se que as mulheres se adaptem aos estereótipos físicos prevalecentes. Isso não é novidade. Da prática chinesa de amarrar os pés das meninas para conservá-los pequenos, às cinturas de vespa de nossas ancestrais elizabetanas, a moda raramente significou algo tão simples como apenas vestir a roupa certa. Ela costuma também impor mudanças no corpo das mulheres para que as roupas caiam bem. A moda não pára; numa estação, o estilo pode exigir busto grande e cintura fina, e no ano seguinte a figura de uma tábua é a ordem do dia. Ninguém jamais duvida que, de alguma forma, como num passe de mágica, nós mulheres conseguiremos mudar para atendê-la.

Podemos esperar, então, que a preferência pelas linhas retas, peitos achatados e a total ausência de barriga e traseiro seja só um capricho da moda que acabará passando? Podemos contar com a volta de um estereótipo de feminilidade que nos permita esquecer as saladas de queijo e voltar a comer batatas?

Talvez não seja tão simples assim. A magreza é mais do que um simples padrão da moda. É, não há dúvida, muito apreciada pela indústria de roupas, porque quando se deseja chamar a atenção para elas e não para a mulher, o fato de esta última se parecer com um cabide ajuda muito. As modelos são magras para que vejamos as roupas que vestem sem que o contorno do corpo as atrapalhe. Mas a exigência de que as mulheres se adaptem a um tipo consideravelmente esbelto não é responsabilidade somente dos fabricantes de roupas. Dizer apenas que é elegante ser magra não explica a peculiar duração desse padrão físico, nem sua profunda importância para todas nós.

Se observarmos como a mídia retrata as mulheres, é evidente que não só a magreza é apresentada como algo atraente, mas quando são focalizadas mulheres bem-sucedidas, elas são sempre magras. Desde a mãe na cozinha louvando com enlevo uma determinada marca de detergente, até a jovem e despreocupada executiva, quando se mostra uma mulher de sucesso, ela é magra.

Desde a infância tendemos a associar o êxito social e profissional à magreza. As pesquisas indicam a nítida preferência das crianças pequenas por imagens que representam crianças magras em oposição às gorduchas.[16] Elas demonstram não apenas preferir as figuras esbeltas, como também escolhem ficar fisicamente perto das pessoas magras. As crianças associaram tais imagens a popularidade, inteligência e agilidade no esporte, enquanto que as cheinhas foram consideradas tolas e, o que é mais importante, solitárias.

Essa atitude se mantém por toda a infância até a adolescência. Desde os primeiros anos de vida, o preconceito contra pessoas gordas é compartilhado igualmente por meninos e meninas e dirigido a ambos os sexos. Contudo, logo começa a ficar evidente que ele se concentra no corpo das meninas. Se aprendemos a detestar as pessoas gordas tão cedo, não surpreende que ao chegar à adolescência muitas jovens tenham um medo mórbido de engordar. Nesta fase, as meninas demonstram mais ansiedade do que os meninos em relação à forma e ao tamanho de seu corpo. Esse nível de ansiedade não nos espanta se considerarmos as conclusões de um estudo feito por Monello e Meyer.[17] Eles sugerem que o preconceito contra os gordos é semelhante ao que se dirige a determinadas minorias raciais. Concluem também que as próprias pessoas gordas sofrem o mesmo dano em sua auto-estima e compartilham a mesma resistência à realização, como ocorre entre as minorias raciais sujeitas ao ódio e à discriminação social. O efeito dessas imagens e associações negativas com a gordura é fazer-nos supervalorizar a magreza.

Susie Orbach está certa quando diz: "Sabemos que todas as mulheres querem ser magras. Nossas imagens de feminilidade são sinônimo de magreza. Se somos esbeltas, nos sentimos mais saudáveis, mais leves e menos limitadas. Nossa vida sexual será mais fácil e satisfatória... Quando estamos gordas, desejamos a magreza como se deseja o alimento, buscando nela a solução para nossos mais diversos problemas''.[18]

Mas não me contento em ficar por aqui. Sim, desprezamos e estigmatizamos as pessoas gordas, a própria idéia de gordura desperta em nós sentimentos negativos. Conseqüentemente, temos medo de engordar. As jovens em particular, bastante inseguras quanto à sua capacidade de ser aceitas, de se ''ajustar'' ao mundo, tendem a considerar que a pior coisa que lhes pode acontecer é engordar. Mas por quê? Por que a *gordura* nos deixa assim tão aflitas?

Só podemos entender esse curioso fenômeno se admitirmos o excesso de peso e as pessoas gordas, na sociedade em que vivemos, como escoadouro emocional de todos os aspectos, nossos e da nossa cultura, que não desejamos possuir. Apresentado de outra forma, projetamos coletivamente na gordura as más qualidades que não pertencem a ela, e sim a nós mesmos. Então, tudo o que temos a fazer é evitar engordar e estaremos a salvo do que existe de pior em nós.

Vejamos alguns exemplos. Projetamos nossa gula nas pessoas gordas. Acreditamos que elas devem necessariamente comer mais do que as magras e insistimos em manter essa crença, apesar da evidência em contrário.

Garrow, em 1974,[19] reviu as constatações de treze estudos que examinaram a relação entre o peso e a quantidade de comida ingerida. Doze dos treze estudos revelaram que as pessoas com excesso de peso comiam a mesma quantidade ou menos que os magros, e no entanto ninguém acredita quando um gordo diz que não come muito. Nós precisamos ter certeza de que os gordos são gulosos. Nossa cultura considera a gula um atributo altamente indesejável, e no entanto devemos ser a sociedade mais gulosa que já existiu.

Definimos nossas necessidades de tal forma que as pessoas de outras partes do mundo precisam realmente estar morrendo de fome para que elas possam ser satisfeitas. Essa não é uma espécie de gula individual. Não ajuda em nada aos milhões de proverbiais famintos se eu, individualmente, ficar sem jantar. Mas estamos envolvidos numa gula coletiva tão séria que chega ao genocídio. Graças a Deus que existem pessoas gordas. Sempre que elas estiverem por perto, podemos estar seguros de que a culpa não é nossa.

Às vezes, até insistimos em acreditar no duplo absurdo de que os gordos são gulosos e preguiçosos. E, no entanto, a obesidade é muito mais comum entre as classes sociais mais pobres do que nas ricas. Talvez nós seres humanos precisemos ter certeza de que há bastante para todos antes de podermos nos dar o luxo da renúncia! As pessoas pobres também parecem ser mais tolerantes em relação à gordura. Num estudo de Goodman *et al.*,[20] o único grupo de crianças que não colocou em último lugar a aspiração a ser uma criança gorda vinha de uma comunidade pobre israelita. Os autores especulam que "a criança judia bem-alimentada e troncuda é vista pelos outros judeus como alguém saudável e *amado*".

Nestes últimos anos, a medicina tem ajudado a reforçar o preconceito social prevalecente com relação às pessoas gordas. Embora reconhecendo que o excesso de peso pode representar um risco para a saúde, acho inquietante que mulheres com alguns quilos a mais sejam constrangidas por seus médicos a fazer regime. Até a literatura, da qual poderíamos esperar uma visão razoavelmente mais esclarecida sobre o assunto, falha ao examinar a suposição de que o "excesso de peso" é o responsável por todos os tipos de males humanos.

Isabel Contento, no seu artigo *As necessidades nutritivas das mulheres,*[21] diz: "Como em geral não diminuímos a quantidade de comida que ingerimos nem aumentamos os exercícios físicos, não é de surpreender que um terço dos americanos hoje sejam obesos. E tantas doenças predominam entre esses indivíduos obesos — doenças cardíacas, diabetes, hipertensão, para citar apenas algumas — que a manutenção do peso normal é provavelmente o fator que isoladamente mais contribui para a boa saúde".

Por outro lado, existem pesquisas que mostram que há pouca ou nenhuma relação entre a saúde precária e o excesso de peso. O eterno círculo vicioso que alterna períodos em que se come com períodos em que se passa fome, um padrão que tantas mulheres se sentem pressionadas a seguir, pode ser mais prejudicial à saúde do que o excesso de peso.[22]

É impossível no momento saber o que é "verdade" na relação saúde e peso. E ainda estamos tão convencidos de que, além de todas as suas falhas morais, os gordos também estão cometendo suicídio, que não paramos para considerar as evidências.

Adelle Davis, a grande nutricionista americana, falecida em 1974, tem algumas palavras enérgicas a dizer sobre a questão.

> Os médicos estão percebendo que nem todos podem emagrecer (...) apesar de detestarem ser gordos, são mais saudáveis assim. Quando estas pessoas se forçam a emagrecer, quase sempre passam por um esgotamento nervoso ou sofrem forte depressão (...) são dominadas pela culpa, o desgosto e o ódio a si mesmas por serem fracas e gulosas. Se possível, estas pessoas de-

veriam esquecer os regimes e procurar fortalecer a saúde. Elas costumam ser indivíduos alegres, espirituosos e inteligentes, cuja contribuição é valiosa para a sociedade... Achar que a pessoa magra é mais bem aceita do que a gorda é uma atitude ridiculamente imatura. A não ser que seu marido a queira exibir como se você fosse um carro novo, para fortalecer seu próprio ego, não há motivo para que você tenha um corpo de manequim. As pessoas gordas podem se vestir de forma atraente; e muitos indivíduos com "ar esbelto e faminto" também não ficam bonitos de roupa de banho.[23]

Por que as mulheres?

Antes de encerrarmos a complexa questão de gordos e magros e nossa atitude em relação a ela, é preciso fazer uma última pergunta: Por que são as mulheres que enfrentam o problema social da gordura e da magreza? Por que elas, muito mais do que os homens, têm medo de engordar? Por que aceitam de bom grado os absurdos projetados nelas a respeito do tamanho e da forma de seus corpos?

As respostas são simples, mas também complexas. Elas estão relacionadas com a disponibilidade do corpo feminino ao olhar público, o sentimento de impotência e a necessidade de aprovação que elas experimentam em nossa sociedade.

As mulheres são, realmente, o sexo para o qual todos nós olhamos. Há uma expectativa social que as menininhas aprendem desde a mais tenra idade: que nós mulheres nos esforçaremos para nos tornar atraentes para outras pessoas.

Nas festas ou em outras ocasiões sociais, sabemos muito bem que nossa roupa, penteado e corpo poderão ser olhados e comentados. Até no trabalho as pessoas geralmente formam a primeira impressão a nosso respeito pela aparência que exibimos; nossas realizações podem ficar em segundo plano. Mesmo as mulheres que alcançam altos postos e se tornam figuras nacionais pelos seus feitos observam que a imprensa vai se concentrar tanto nas roupas que elas vestem como nos seus discursos. A mulher que é gorda, portanto, muito provavelmente será notada e criticada por isso. Na verdade, qualquer mulher cujo corpo não se aproxime da limitada recomendação imposta por nossa cultura tende a se sentir vulnerável e em nítida desvantagem.

Quando meninas somos ensinadas, desde os primeiros anos, a depender, em grande parte, da aprovação dos outros. Somos ensinadas a agradar e a nos sentir bem quando nos aprovam. Nossa autoestima baseia-se menos na avaliação que fazemos de nós mesmas e de nossas conquistas do que na opinião dos outros e na presteza com que os comprazemos. A mulher "gordalhona", portanto, provavelmente não vai conseguir manter uma imagem positiva de si mesma. Ela tende a medir seu próprio valor segundo as reações dos outros, e estes terão como alvo principalmente sua aparência. Estamos, portanto, literalmente tiranizadas pelo medo da obesidade, e não é de espantar que a imensa indústria envolvida na produção dos assim chamados auxiliares dos regimes de emagrecimento encontre entre as mulheres um mercado pronto. Em nossa cultura, é preciso que a pessoa tenha bem firme seu senso de individualidade e bem elevado seu amor-próprio, para poder resistir às pressões sociais que a forçam a ser magra.

3

A IDENTIFICAÇÃO DA MULHER ANORÉXICA

Se você está passando agora por um episódio anoréxico, ou se já teve essa experiência antes, deve estar se perguntando o que está havendo que a leva a esse determinado conjunto de dificuldades. As famílias se perguntam a mesma coisa: "Por que isto aconteceu com nossa filha? Por que em nossa família?".

Neste capítulo podemos apenas começar a examinar essas questões, de maneira geral. Vamos tentar descobrir o tipo de mulher que tem anorexia com *mais freqüência*. As generalizações podem ser perigosas — há sempre exceções —, mas elas também podem ser úteis. É duplamente importante observar os tipos de pessoas que se vêem presas de um particular distúrbio ou dificuldade.

Primeiro, isso pode tornar o problema previsível, e portanto evitável. Segundo, pode nos dizer alguma coisa sobre a natureza e as origens do problema.

Antes de seguirmos adiante, porém, um aviso: o estudo das pessoas que se tornam anoréxicas pode nos indicar o grupo particularmente vulnerável em nossa sociedade, mas é improvável que ele nos diga quais delas se tornarão anoréxicas — assim como, ao estudarmos as pessoas que vêm se tratar de depressão, ficamos sabendo quais os grupos mais suscetíveis sem que possamos especificar quais desses indivíduos realmente se tornarão deprimidos.

O mesmo acontece com a anorexia. A informação que podemos recolher acerca dos tipos de pessoas que desenvolvem o distúrbio provavelmente apenas nos alertará sobre os riscos que certos grupos correm. Não apontarei indivíduos específicos. Nos termos de uma compreensão maior sobre a natureza e as origens da anorexia, entretanto, o estudo da "população anoréxica" poderá oferecer-nos grande ajuda. A medicina social começou tradicionalmente com um estudo da vida das pessoas que ela pretende tratar. As doenças provocadas pela poluição da água estavam a caminho da cura quando os pesquisadores observaram que várias pessoas que utilizavam o mesmo reservatório de água ficaram doentes ao mesmo tempo. Nas pesquisas dos problemas que afetam a mente ou o espírito humano, essas deduções são mais difíceis. Mas pode-se chegar a elas. As observações de Brown e Harris no estudo que fizeram sobre a depressão feminina revelam um grande número de casos em Londres, enquanto nas Hébridas ela é desconhecida.[1] Isso deve significar alguma coisa, ou pelo menos estimular mais questionamentos. Deve nos dizer que a depressão nas mulheres está mais relacionada com o mundo social em que elas vivem do que com suas próprias tendências neuróticas. A tarefa então passa a ser a de observar as diferentes variáveis da vida numa localidade e noutra e tentar estabelecer o que causa o problema num lugar e não causa em outro. É o que faremos com a anorexia. Vamos tentar usar as informações que temos sobre mulheres definidas como anoréxicas para fazer algumas perguntas produtivas.

Distribuição geográfica: um problema apenas do Ocidente?

A anorexia é descrita como predominante em todo o mundo "desenvolvido". Ela ocorre em número aparentemente crescente na Europa, América do Norte, Australásia, África do Sul, Japão e alguns países do Golfo. Acontece, de fato, onde existe abundância de comida e, além disso, se aprecia a magreza. Devemos encarar com cautela essas observações e muitos outros "fatos" estatísticos sobre a anorexia. Nas sociedades que não possuem um serviço médico bem desenvolvido e que apresentam uma certa expectativa de fome por razões econômicas, é improvável o reconhecimento da existência da anorexia. Ainda que tenhamos em mente essa precaução, o fato de não haver nenhum relato de anorexia no Terceiro Mundo deveria nos permitir supor que ela é realmente um problema associado à fartura. Além disso, vimos no capítulo 2 como as sociedades ocidentais contemporâneas tentam resolver suas dificuldades em relação à própria riqueza. Parece que os distúrbios alimentares, especialmente entre as mulheres, ocorrem com muito mais probabilidade em situações de relativa abundância.

Um problema apenas das mulheres jovens?

Na imaginação popular, a anorexia nervosa está inevitavelmente associada às mulheres jovens. Neste caso, a imagem popular está, de modo geral, correta. Primeiramente, vejamos a questão do sexo. A anorexia, como outros distúrbios alimentares, é um problema predominantemente feminino. A proporção de mulheres para homens varia de um escritor a outro, mas a maior parte relata um índice superior a 10:1.[2]

Estamos acostumados à idéia de que algumas doenças predominam mais num sexo do que no outro. As doenças cardíacas, por exemplo, fazem mais vítimas entre os homens do que entre as mulheres. Os distúrbios psicológicos (pelo menos aqueles que os médicos observam e tratam) são muito mais comuns entre as mulheres. No caso da anorexia, é difícil pensar num outro problema que incida sobre um dos sexos de forma tão preponderante. Ficamos tentados a imaginar se não seria *necessário* ser do sexo feminino para desenvolver a anorexia, ou se talvez apenas as mulheres sejam física e psicologicamente capazes disso. Essa hipótese foi levantada por alguns psicanalistas que escreveram sobre o assunto na década de 40.[3] A explicação que deram foi que a anorexia nervosa resultava de um medo da fecundação oral (engravidar pela boca). Esta é uma explicação que evidentemente só pode se aplicar às mulheres. Estamos hoje numa posição que nos permite concluir que qualquer teoria expressa nos termos de uma biologia ou psicologia isoladamente feminina deve estar errada. O fato é que, embora não encontremos muitos homens anoréxicos, sabemos que *alguns* existem. E estes se ajustam tão bem como as mulheres ao quadro que associamos à anorexia. Portanto, este não é um distúrbio exclusivo das mulheres; os homens também são afetados por ele. Mas as mulheres são muito mais vulneráveis do que os homens.

Da mesma forma, olhando o perfil etário das mulheres anoréxicas, veremos que a maioria é jovem — mas nem todas. Segundo Dally,[4] a idade média em que se inicia a perda de peso, na sua amostragem, foi 15 anos. No Anorexia Counselling Service (Serviço de Aconselhamento em Anorexia),[5] a média de idade das mulheres atendidas foi de 22,6 anos. A paciente mais jovem tinha 14 e a mais velha, 37 anos. Por certo, sabe-se que há mulheres que apresentam o problema saindo dos 20 anos, entrando nos 30, ou até mais tarde. Tratamos de algumas que desenvolveram a anorexia algum tempo depois de casadas, ou após terem filhos. Trata-se, contudo, de uma minoria. É bem mais comum que elas comecem a sofrer desse mal na adolescência ou com vinte e poucos anos.

Para ilustrar o que essas mulheres, de uma faixa etária considerável, têm em comum, fica mais fácil descrever a vida de algumas delas e daí tirar nossas conclusões.

Nicola foi diagnosticada como anoréxica aos 17 anos e foi atendida pelo serviço de aconselhamento enquanto ainda se preparava num internato feminino local para ingressar numa faculdade. A história que ela contou, embora fora do comum, em alguns aspectos é bastante típica entre jovens que apresentam um distúrbio anoréxico. Ela vinha de uma família de profissionais com quatro filhos. Ela a descreveu de início como uma família "muito unida, protetora, sem problemas". Fiquei sabendo que seus pais haviam se divorciado quando ela estava com 11 anos. Dos quatro, ela era a penúltima e a mais jovem das meninas. Vivia com os irmãos, a irmã, o pai e a madrasta. A infância de Nicola fora considerada um grande sucesso. Ela parecia ter superado bem a desintegração doméstica, tendo construído um bom relacionamento com a madrasta e, ademais, era "brilhante" na escola. Os pais valorizavam muito sua inteligência, tinham grandes expectativas com relação a seu futuro e queriam muito que ela conseguisse a bolsa de estudos de Oxford que seus professores lhes garantiam que ela era capaz de obter. Foi depois de terminar uma série de matérias básicas necessárias para o primeiro certificado de conclusão do curso secundário que ela começou a perder peso e a se recusar obstinadamente a comer coisas que remotamente podiam ser consideradas capazes de engordá-la.

Na terapia, ela começou a revelar que o rompimento de seus pais na realidade lhe causara muita tristeza. Contudo, Nicola nutria um sentimento de lealdade muito grande pela família reconstruída e acreditava firmemente ser seu dever fazê-la dar certo. "Sinto-me tão mal, deixando-os preocupados assim! Sei que meu pai acha que a culpa é dele, por causa do divórcio e tudo o mais. Na realidade não é. Minha madrasta tem sido maravilhosa, mas sei que ela não compreende o que está acontecendo e pensa que há algo errado com a família."

Nicola sentia que seus próprios sentimentos ruins em relação ao fracasso do casamento de seus pais só poderiam transtornar o pai e a madrasta. Ela não era do tipo de fazer exigências egoístas e resolveu tirar o melhor partido da situação. Sua maneira cordata e o êxito na escola fizeram dela a preferida do pai, e a vida em geral não parecia tão ruim. Aos 14 anos foi mandada para o internato para ter todas as chances de realizar as aspirações acadêmicas. Foi nesse momento que ela percebeu que era incapaz de suportar a vida longe da família. Continuou a ter boas notas e a se comportar bem, mas não estava muito certa do motivo por que agia assim. Percebeu que não tinha uma motivação própria para o estudo. Ia em frente porque era o que esperavam dela, mas descobriu que os outros alunos não louvavam seus esforços como sua família sempre fizera. Terminou com êxito a primeira fase, perdeu algum peso nesse processo e sentiu de repente que a verdadeira identidade e o sentimento de auto-estima que lhe haviam fugido estavam afinal ao seu alcance. "Falando com toda a sinceridade, perder peso é a única coisa que importa. Não sei por que, mas abandono tudo antes de desistir disso."

Nicola conseguiu finalmente entender que, antes de seu episódio anoréxico, fora capaz de se sair bem na vida, mas às custas de não desenvolver um sentido positivo de quem ela era. Sempre se vira apenas como um ser que existia para os outros, cuja personalidade e destino foram moldados pelo que eles necessitavam dela e não por algo que ela fosse ou desejasse para si mesma.

Marjorie veio pedir ajuda por causa do seu distúrbio alimentar aos 23 anos. Disse que saíra de casa aos 18 para estudar em Londres. Conseguiu concluir com sucesso seu estágio como professora e ficou mais um ano para obter o diploma. Teve uma crise aguda de anorexia no primeiro ano em que lecionou, embora mais tarde descobrisse que tivera dificuldades com a comida durante o último ano de faculdade. Quando ela foi para a terapia estava faminta e confusa com seu próprio comportamento. "Sou uma tola. Tinha tanta sorte, as coisas estavam indo bem e agora estou pondo tudo a perder." Ela disse que não gostava de ensinar (de fato, disse que não era boa nisso), ao contrário da faculdade, que tinha "adorado".

Revelou-se depois que a própria faculdade não fora fácil. Marjorie achara difícil estruturar sua vida e seu tempo e resolvera o problema criando diversas rotinas, rituais mesmo, que incluíam o excesso de trabalho. Ela não achava que seu considerável progresso acadêmico fosse "real". Ele não satisfazia. Saía-se bem porque se esforçava mais que os outros alunos. Era popular, mas trabalhava para isto também. Em resumo, Marjorie construíra suas conquistas sobre uma noção de auto-estima muito frágil e insatisfatória. Ao sair da faculdade entrou numa verdadeira crise acerca de sua própria autonomia e se sentiu totalmente incapaz de levar uma vida "adulta" e independente. Começou a perder o controle de seus hábitos alimentares. Os rituais e rotinas que tão bem a protegiam na faculdade começaram a funcionar ao contrário. Ela comprava grandes quantidades de comida — geralmente do tipo que não lhe agradava — e se forçava a comer tudo. Em seguida provocava o vômito e, às vezes, repetia todo o processo. Os rituais bulímicos de Marjorie davam a seus dias uma espécie de sentido que parecia faltar-lhes sem eles.

Suzanne tinha 31 anos quando procurou a terapia. Apresentou-se como uma dona de casa apática e deprimida, que se distinguia apenas pelo fato de ser excepcionalmente magra. Casara-se aos 19 anos e agora tinha um filho de 11 e uma filha de 8 anos. Ficamos sabendo que ela vinha de um lar bastante pobre, que conseguira vaga na escola primária local e depois na faculdade. Desistira dos estudos para se casar. Os primeiros anos de casada e a maternidade foram felizes e bem-sucedidos. Quando as duas crianças foram para o colégio e ela começou a trabalhar num escritório, Suzanne passou a refletir sobre sua vida e a se preocupar com o peso. Sentiu-se totalmente passiva em relação à própria existência, sobre a qual ela não tinha controle, e percebeu que não podia tomar a mais leve decisão em favor de si mesma. "Não há nada de errado com minha vida. Sou *eu*. Não pareço ser uma pessoa. Preciso dos outros para tudo."

Suzanne descreveu a mãe como uma pessoa carinhosa mas dominadora. O marido, embora alegre e obviamente preocupado com ela, também era uma pessoa forte e controladora. Não se equiparava a ela intelectualmente. A vida de Suzanne, até o momento de seu episódio anoréxico, constituíra-se em agradar os outros: primeiro a mãe, depois o marido e os filhos. Nunca encontrou espaço para desenvolver sua própria noção de competência e independência para lidar com o mundo como uma pessoa adulta. Só aos 31 anos ela foi realmente capaz de descobrir o espaço psicológico para perceber isso!

Uma questão de identidade

O que Marjorie, Suzanne e Nicola têm em comum evidentemente não é a idade, nem há qualquer semelhança de circunstância de vida entre as três. Estão unidas, porém, pelo fato de terem chegado a um momento de sua vida em que foram culminantes as questões sobre autonomia, independência e auto-estima. Nicola teve que enfrentar a realidade de que deveria continuar sua brilhante carreira acadêmica para seu próprio bem ou desistir. Marjorie conseguira ter sucesso na faculdade mas se vira incapaz de usá-lo no sentido de se tornar uma profissional independente. No caso de Suzanne, ela não tinha mais que enfrentar as exigências de uma família jovem e se viu pela primeira vez sozinha como uma mulher adulta. Sentiu-se como se estivesse num vazio.

Estes são três exemplos. Encontrei um quadro semelhante em todas as mulheres com quem trabalhei. Quando reconstruímos juntas a situação em que elas se encontravam na época em que começaram a ter dificuldades, descobrimos que estavam envolvidas numa luta por autonomia que se sentiam incapazes de enfrentar. Isto, é claro, ajuda a explicar a razão por que tantas mulheres desenvolvem um distúrbio alimentar anoréxico por volta da adolescência. Esta é uma época da vida em que os jovens se defrontam pela primeira vez com a possibilidade de conquistar a própria independência. É também o período em que eles começam a questionar sua identidade. É freqüente ouvirmos falar de "crise de identidade". Mas o que significa realmente esta expressão? Entende-se melhor a "identidade" como uma noção de si mesma que implica o reconhecimento e a aceitação da individualidade, da singularidade, aliada ao sentimento de pertencer a um grupo mais amplo e ser aceito por ele. A crise de identidade ocorre quando nos sentimos num conflito muito grande tanto acerca do que somos como indivíduos quanto no que se refere ao nosso posicionamento em relação às outras pessoas. Todas nós experimentamos esse tipo de crise em diversas ocasiões de nossa vida. Só quando o conflito parece impossível de resolver é que vamos lidar com ele, desenvolvendo um sintoma como a anorexia.

Voltando aos nossos exemplos, está claro que as três mulheres, por razões diferentes, tiveram experiências anteriores que lhes tornaram difícil ter uma noção clara de quem eram e de sua própria competência para administrar a vida à sua maneira.

Nicola usou sua aptidão acadêmica para conquistar a aprovação da família e se sentiu obrigada a colocar as necessidades dela antes das suas. Em conseqüência, não desenvolveu uma noção suficientemente forte sobre si mesma, nem a crença na própria autonomia como indivíduo, o que a teria levado a se separar da família. Vale a pena notar, pelo relato dos casos de muitas mulheres que passam por uma fase anoréxica, que sua vida até aquele momento parecia a todos notavelmente livre de qualquer problema. As mães descrevem filhas que "jamais deram preocupação até que isto aconteceu", "a única da família que nunca me criou problemas", etc. Embora comum, esse tipo de comportamento que precede o distúrbio nem sempre se manifesta. As anoréxicas "que jamais tiveram problemas" falham ao desenvolver uma forte noção de si mesmas como indivíduos porque sempre aceitam as definições alheias sobre elas e nunca formam as suas. Muitas das dificuldades causadas pelas crianças e adolescentes dentro da família são reflexo do seu processo de independência. Há muito sentido na necessidade que temos de lutar contra os valores e as idéias de nossos pais para conseguirmos desenvolver os nossos próprios. A jovem que continua aceitando a visão de mundo dos pais e as definições e expectativas deles e dos professores acerca de si mesma deixa de passar por esse processo.

No caso de Marjorie, ela conseguiu dar os passos na direção da independência; saiu de casa, teve sucesso na faculdade, mas no fundo ficou a lacuna da dúvida se ela era realmente capaz de viver a própria vida. Ela "agüentou", atirando-se ao trabalho; defendeu-se do medo de ser rejeitada pelos colegas esforçando-se para ser popular, estudando o que os outros diziam, pensavam e vestiam e os imitava primorosamente. Quando ela veio se tratar, sentia que toda a sua vida tinha sido uma fraude — e, de certo modo, estava certa.

Suzanne fora uma boa menina — qualidade altamente louvada pela mãe. Nunca houve qualquer conflito entre as duas. Ela se casou jovem e passou muitos anos cuidando dos outros e colocando antes das suas as necessidades dessas pessoas, para conseguir sua aprovação. Durante muito tempo ela nem mesmo admitia que tinha qualquer necessidade que não fosse a de satisfazer as alheias. Para Suzanne, ser amada e aceita significava fazer o que os outros esperavam dela. Sentia-se muito culpada até de desejar alguma coisa por si mesma. Enquanto satisfazia as necessidades dos outros sentia-se segura e amada. Nunca teve a experiência de ser amada e valorizada por *si mesma*, pelo que ela realmente era como indivíduo, e portanto tinha pavor de ser uma pessoa independente.

Se voltarmos agora ao fato de que a grande maioria das pessoas que desenvolvem distúrbios anoréxicos são mulheres, poderemos começar a ver algumas das razões por que isso ocorre. As meninas, mais que os meninos, são educadas para ser "boas". Valoriza-se altamente a passividade e a submissão nas meninas, enquanto nos meninos considera-se saudável uma certa resistência e rebeldia. Filhas obedientes, passivas e altruístas podem contribuir para a tranqüilidade familiar, mas esse treinamento não leva a uma passagem suave para a independência!

É justo admitir que todos, em algum momento da vida, tanto homens como mulheres, encontram dificuldades com relação à independência e sentem que lhes fazem exigências impossíveis de satisfazer. É mais provável, contudo, que os meninos tenham tido desde o início uma educação que os terá equipado para lidar efetivamente com essas exigências. Há menos probabilidade de que sua auto-estima se baseie em agradar os outros.

Podemos dizer então que a anorexia freqüentemente ocorre como uma reação a uma crise de autonomia e independência. As mulheres não têm tantas possibilidades como os homens de se sentir capazes de resolver tais conflitos, portanto é mais provável que elas tendam a apresentar sintomas como a anorexia. Esse tipo de crise pode acontecer em qualquer época da vida em que se vivenciem de forma particularmente aguda questões relacionadas com a independência. É comum as jovens sentirem essas dificuldades na adolescência, mas esta não é, de maneira alguma, a única época em que isso pode ocorrer.

Classe social e educação: problema só da classe média?

Já se disse várias vezes que a anorexia afeta principalmente as mulheres jovens pertencentes à classe média. Palmer[6] afirma que "de modo geral, parece mais provável que a anorexia seja mais comum entre pessoas das classes média e alta". Ele reconhece que isto pode ser o resultado de padrões de referência e que não se dê atenção à anorexia que afeta as moças da "classe operária".

Dally e Gomez[7] mencionam que 77% de sua amostragem são das classes sociais A e B. Sugerem que a pressão familiar voltada para o sucesso pode ser um fator importante nesse distúrbio e que ele ocorre com mais freqüência nestes dois segmentos sociais.

Minhas observações baseiam-se num trabalho com 75 mulheres portadoras de anorexia, assistidas numa agência de aconselhamento voluntário e no Serviço de Saúde (Health Service). Nosso trabalho sugere que a literatura pode ter confundido classe social com nível de instrução. Constatamos que apesar de muitas mulheres que vieram até nós em busca de ajuda serem de famílias da classe média, outras tinham pais operários e não podiam, de modo algum, ser consideradas, em nenhum sentido, de classe média. O que descobrimos, entretanto, foi que quase todas elas tinham um bom nível de escolaridade — sendo ou não da classe média. Apenas duas mulheres que entrevistamos não tinham ao menos terminado o primeiro grau, e a maioria completara o segundo. A confusão é óbvia: em nossa sociedade, as pessoas da classe média têm maior probabilidade de ter êxito nos estudos do que as crianças da classe operária; portanto, existe a tendência de confundir sucesso educacional com *status* de classe média. Em nossa amostra, ficamos surpresos com o grande número de mulheres de origem operária que foram as primeiras pessoas da família a alcançar um bom nível de escolaridade. Dezenove delas foram as primeiras a ingressar numa faculdade. Isto pode nos levar à hipótese de que as mulheres que provêm de ambientes que não estimulam particularmente o êxito nos estudos têm mais probabilidade de desenvolver um distúrbio anoréxico se conseguirem sucesso nesse campo. Podemos ter certeza, contudo, de que as mulheres que desenvolveram uma condição anoréxica em geral possuem um nível intelectual fora do comum e são quase sempre identificadas desde cedo como vencedoras. É triste observar que a fase anoréxica quase sempre surge para dar um basta no processo educativo da mulher. Em muitos casos, é quando está se preparando para entrar numa faculdade ou se graduar que ela entra nessa fase e, muitas vezes, tem que adiar ou abandonar a carreira.

Para compreender por que as mulheres instruídas são mais propensas a desenvolver um distúrbio anoréxico do que as outras, precisamos voltar à idéia de "identidade". É preciso olhar não para a pressão dos pais ou a tensão do sistema de provas, muitas vezes responsabilizados pela anorexia, mas sim para o conflito e a confusão de identidade causados pelo sucesso nos estudos. Em nossa sociedade, defendemos muito a idéia de oportunidades iguais para homens e mulheres. Dizemos que as meninas têm o mesmo direito à educação que os meninos e reclamamos para elas as mesmas chances de exercer esse direito. O que não fazemos, entretanto, é preparar as jovens para a experiência do sucesso profissional e a independência. As meninas são educadas de modo diferente dos meninos. Pesquisas recentes indicam que, além de diferenciar sexualmente as crianças em termos de roupas e brinquedos, os pais não parecem fazer uma distinção declarada entre filhos e filhas. Mas eles acham que meninos e meninas *são* diferentes e não têm as mesmas expectativas em relação a eles.[8] Mesmo no caso dos bebês, os pais descrevem as filhas como delicadas, carinhosas, engraçadinhas e gostosas de abraçar, enquanto os filhos são tidos como robustos, desajeitados, espertos, atentos e inteligentes. Isto significa que se estimulam tendências diversas nos meninos e nas meninas. Os pais ressaltam o lado sociável e independente da personalidade do menino, enquanto descobrem na menina as características associadas à delicadeza, solicitude e educação. As meninas são incentivadas a encontrar satisfação na dependência; elas aprendem a se sentir recompensadas no relacionamento com as outras pessoas. Os brinquedos que lhes dão as encorajam a utilizar sua capacidade de cuidar e alimentar os outros. Em resumo, são educadas com a idéia de ser alguém que cuida dos outros — a esposa e mãe. Estes são processos bastante sutis que ocorrem muito cedo na vida de uma criança. Quando vai para o colégio, a menina já está se identificando com a futura mulher e compreende seu papel mais em termos de cuidar e retribuir do que de agir e tomar iniciativas. As meninas que não aprendem esta lição são vistas como anormais.

Uma vez no colégio, elas *são* encorajadas a estudar muito e obter bons resultados. Mas já sabem que no mundo seu papel "apropriado" é o de futura esposa e mãe. Todas as reações da menina às oportunidades de se instruir e ter uma carreira são temperadas por esse aprendizado precoce — com o reforço, é claro, da expectativa social e dos estereótipos à sua volta.

As meninas se saem bem na escola primária — melhor, em geral, do que os meninos. Elas se esforçam mais, são mais cuidadosas e atentas do que os meninos. Embora, como observa Dale Spender,[9] os professores tendam a dar notas mais altas quando acham que o trabalho foi feito por um menino.

O grande compromisso da menina com as tarefas escolares e com as "boas notas" explica-se facilmente em termos do que ela aprendeu ser um comportamento aceitável. As meninas aprenderam a agradar, a obedecer, a dar aos outros o que as pessoas esperam delas. Elas simplesmente transferem para o colégio o que aprenderam em casa. Os meninos, por outro lado, aprenderam que podem ser um pouco teimosos e arrojados, desobedecer às vezes, fazer "bagunça" em vez de estudar.

É quando elas chegam ao secundário que o progresso de muitas meninas decai e elas tendem a apresentar resultados piores do que os obtidos pelos meninos. É comum as garotas de cerca de 13, 14 anos começarem a não levar tão a sério os estudos. Elas se tornam "tolas", riem à toa, interessam-se mais por roupas e maquiagem do que pelo dever de casa. Aquelas que agem assim estão respondendo às fortes expectativas da sociedade de que "devem" agir desta forma. Elas estão garantindo que não serão fortes e independentes, um desafio ou uma ameaça aos homens. Ao contrário, estão se tornando "femininas"; essencialmente atraentes e encantadoras, porém frívolas.

Mas nossa preocupação é com as meninas que não se tornam tolas e fúteis na adolescência. Elas constituem o grupo em que se encontra a maioria das anoréxicas em potencial. Para estas, a formação de uma identidade adulta positiva será quase sempre problemática. Todas as meninas são educadas no sentido de uma identidade sexual centrada na maternidade, independentemente de terem ou não mais tarde a oportunidade de também alcançar sucesso nos estudos e seguir sua própria carreira. Levar a educação a sério não só conflita com a idéia imposta de que a maternidade é o componente básico da sexualidade da mulher, como na verdade ameaça a menina com uma identidade sexual negativa e em geral condenada. O estereótipo comum da mulher de sucesso não é muito encorajador. Por um lado, temos a imagem da mulher de negócios. A diretora da IBM. Até a primeira-ministra! Duras, inflexíveis, egoístas. Superficialmente glamourosas, talvez, porém em essência inadequadas ao casamento e à maternidade. Por outro, temos a figura da intelectual. A mulher assexuada, solteirona. Isolada, simples e solitária, que passou os melhores anos de sua vida numa busca árida que se revelou afinal pouco gratificante.

Nenhum desses estereótipos oferece à jovem adolescente de talento uma imagem muito promissora com a qual se identificar.

Mas, perguntamos, nenhuma delas terá pelo menos um modelo mais promissor na imagem da mãe?

O fato é que muitas acham que não. As filhas costumam ver as mães como mulheres que fizeram "o que era certo" e abandonaram suas próprias oportunidades de uma carreira de sucesso e realização para cuidar da família. Mesmo aquelas cujas mães conseguiram o que se considera uma certa harmonia entre a profissão e a vida pessoal, as vêem por uma ótica bastante diferente do mundo externo, ou da própria mãe. Miranda, uma menina de 14 anos, recém-saída do hospital após uma crise anoréxica, conversava comigo sobre seu futuro e como se sentia confusa em relação a ele. "O que acontece é que eu não suportaria ser igual a minha mãe." (Ela era uma ótima profissional e cuidara sozinha da filha, o que havia despertado minha admiração.) "Trabalha tanto! Tem *tantas* responsabilidades! Eu não agüentaria isto. Está sempre cansada e se sente culpada de *tudo*."

Talvez conheçamos nossas mães melhor do que elas pensam.

Se não temos uma imagem positiva de nós mesmas no futuro, é difícil sabermos quem somos no presente. Quando meninas, se apresentamos boas notas no colégio e nos dizem que temos adiante de nós um futuro promissor, podemos ver quase sempre apenas uma série confusa de contradições.

Pode-se considerar a anorexia uma forma de sair dessa penosa situação. Quando a mulher se sente infeliz e confusa, tende muitas vezes a culpar suas imperfeições físicas; emagrecer é uma forma comum de lidar com a depressão. Mas a mulher numa fase anoréxica visa muito mais que isso. Ela busca o tipo de perfeição física que lhe dará um sentido autêntico de si mesma, pelo menos no momento.

A anorexia é a expressão paradoxal dos dilemas enfrentados pela mulher instruída. Por um lado, a capacidade de emagrecer e exercitar um autocontrole tão rigoroso é sinal de força e poder interior. Por outro, a mulher anoréxica, com sua fragilidade infantil, expressa o fato de que ela não está pronta nem é capaz de assumir as confusas responsabilidades de ser independente.

4

AS MULHERES ANORÉXICAS E SUAS FAMÍLIAS

Muito se tem falado nos últimos anos sobre o papel da família nos distúrbios anoréxicos. Alguns autores sugeriram que as "causas" do problema estão na família; outros observaram como determinados padrões de comportamento familiar podem perpetuá-lo, tornando mais difícil para o anoréxico abandonar seus sintomas. Muitas famílias com as quais trabalhei leram sobre a anorexia e se depararam com estas idéias, de modo que ao me procurarem já se sentiam responsáveis pelo problema.

Acredito, entretanto, que qualquer abordagem que procure culpar as famílias, ou fazê-las sentir-se culpadas, é injusta e leviana. É leviana porque não oferece uma análise da "família". O que queremos dizer com "família"? Só uma minoria na Grã-Bretanha dos anos 80 compreende o núcleo tradicional pai/mãe/filhos vivendo juntos. Alguns restantes podem ser núcleos "reconstituídos" depois do divórcio, mas um número bem maior é de pais ou de mães que criam sozinhos seus filhos, ou de famílias de um só sexo. Uso o termo "família" para designar o grupo de adultos e crianças que dividem o lar com a mulher anoréxica. Antes de me adiantar, porém, quero deixar claro que estou consciente de que a "família" representa todo um conjunto de relacionamentos de poder variáveis; e que, em nossa cultura, no núcleo familiar clássico, o pai representa a "autoridade" e a mãe é quem "cuida e alimenta". Esse padrão tem conseqüências tanto para as mães como para as filhas, algumas delas analisadas mais adiante neste capítulo. Mas segundo o argumento que culpa as famílias pela anorexia das filhas, estamos realmente nos referindo à família no seu papel de nutridora — isto é, às *mães*.

É uma atitude que culpa essencialmente a mãe, o que sem dúvida é injusto, visto que elas também estão sujeitas às contradições da sociedade em relação às mulheres que já descrevemos.

Assim, lendo este capítulo, é bom lembrar que por trás da palavra "família" oculta-se a palavra "mãe".

As mães muitas vezes têm comentado comigo que a atitude dos médicos e das enfermeiras as encoraja a se sentir responsáveis pelas dificuldades das filhas. Mas também sentem que, se perguntam alguma coisa, isto é interpretado como intromissão, uma interferência no tratamento. Uma delas, mostrando-se preocupada com a aflição da filha sujeita a um programa rígido de realimentação, ouviu a resposta de uma das irmãs responsáveis pela ala do hospital de que tinha sido exatamente esse tipo de superproteção "exagerada" que havia levado a filha ao ponto em que ela se encontrava. É fácil, quando se está distante, ver que um tal comentário só pode ser proveniente da insensibilidade e da pura ignorância. Ter essa perspectiva quando o alvo somos nós mesmas é muito mais difícil!

Quando dizemos que culpar a família é provavelmente a atitude menos salutar que um terapeuta pode ter, não significa que as famílias não estejam envolvidas no problema. Quase todas as nossas experiências importantes como seres humanos nos chegam indiretamente através delas. A família é nosso caminho direto para o mundo social. Acho que não estarei mentindo se disser que jamais entenderemos uma pessoa se não tivermos como referência sua família, e que ninguém se compreende realmente até compreender um pouco seu próprio relacionamento com ela.

Neste capítulo, vamos examinar as pesquisas e especulações existentes sobre os tipos de famílias de onde se originam as mulheres anoréxicas. Espero poder acrescentar novas idéias e focalizarei em particular o relacionamento entre mães e filhas.

Mas, antes, é preciso considerar as espécies de dificuldades provocadas pela mulher anoréxica no meio em ela vive.

Todos os pais sabem, até certo ponto, como é difícil viver com um filho que não come. Em alguma época do seu desenvolvimento, quase sempre antes de irem para o colégio, parece que as crianças passam por uma fase em que é extremamente difícil alimentá-las. Às vezes querem comer apenas um determinado tipo de comida (habitualmente sem muito teor nutritivo!), ou parece que não comem nada. As horas das refeições transformam-se em momentos tensos e ansiosos, nos quais as mães tentam todos os truques que conhecem para convencer os filhos a comer. Estes variam desde a sedução e a adulação, ignorando o alimento não ingerido, até a raiva e a insistência. Tudo pode ser em vão. Quando alguém não quer se alimentar, não há nada que se possa fazer. As mães ficam alarmadas, se preocupam e se sentem muitas vezes rejeitadas quando os filhos se recusam a comer. Felizmente, no processo normal de desenvolvimento, essa atitude costuma durar pouco.

A criança, tendo atingido seu objetivo, volta a comer normalmente. Mas qual é seu objetivo?

Supondo que a criança está bem, ela pode estar simplesmente afirmando que *ela* e não os pais é responsável pela própria alimentação. É a prática de uma sensação de poder recém-descoberta. Nesse processo ela aprende que pode controlar os pais. Ela se diverte com a atenção que recebe e gosta das batalhas travadas na hora das refeições, que ela sempre consegue vencer. Visto que essa atenção pode mais reforçar o hábito de recusar a comida do que desencorajá-lo, os pais deveriam aprender a não "dar muita bola", a não reagir em excesso, tornando a criança o centro das atenções da família.

Quem tem uma filha passando por uma fase anoréxica recebe às vezes esse mesmo conselho. Mas na verdade a situação é bastante diferente. Quando se trata de crianças pequenas, estamos acostumados com uma certa irracionalidade. *Sabemos* que elas não estão raciocinando e sim representando alguma coisa. É irritante mas não choca. Quando uma jovem adulta, uma moça de 14 ou 15 anos com quem os pais tinham antes um relacionamento bom e sensato, começa de repente a não querer se alimentar, eles não sabem o que fazer. Ela nega haver qualquer problema, diz que *está* comendo o bastante, quando é claro que não está, e tende a explodir irada se os pais ficam "perturbando". Começa a dissimular, a mentir com aparente facilidade acerca do quanto ela come. Uma mãe relatou seu grande desapontamento quando se descobriu que a filha enganava a família com o "truque do ovo". Depois de vários dias recusando-se a comer com a família, ela concordara relutante em jantar um ovo quente. Ao limpar a mesa, a mãe descobriu que a menina, em vez de comer o ovo como parecia estar fazendo, tinha feito um furo na parte inferior da casca e que a gema escorria para dentro do copinho. Ela havia comido apenas a clara — que não contém muitas calorias! A filha normalmente tirava a mesa e lavava a louça, e só porque o telefone tocou, quebrando a rotina, é que o truque foi descoberto.

A obsessão anoréxica com a comida transcende muitas vezes a própria alimentação da mulher jovem. Ela se interessa detalhadamente pelo que os outros membros da família comem e está sempre incitando-os a comer mais. Sei de irmãos, irmãs e pais que acabam tendo pela primeira vez problemas com excesso de peso, por se deixarem convencer pelo membro anoréxico da família, sempre atento e coercivo. Esse desejo obsessivo de alimentar os outros surge em parte de uma constante preocupação com a comida; principalmente aqueles alimentos que ela nega a si mesma. Ao cozinhar para os outros — e ela gosta muito de fazer para eles pratos que engordam —, está em parte satisfazendo sua própria necessidade de se relacionar com a comida. Ela também tem necessidade de se sentir tranqüila vendo que os outros comem mais do que ela. Não percebe mais as diminutas quantidades de alimento que consome; cada garfada lhe parece um exagero. Para ter certeza de que está comendo menos do que o "normal", este normal deve ser igualmente exagerado.

Talvez mais assustador para os pais seja o fato de que suas filhas parecem perder o contato com a realidade no que se refere a seu peso e aparência. Na verdade, esta não é uma perda apenas aparente; ela não consegue mesmo se medir por nenhum padrão objetivo. Eles procuram com muito tato dizer à filha que ela está ficando magra demais; perguntam com medo quanto ela está pesando. Podem ser recebidos com palavras ofensivas, ou gentilmente esclarecidos de que está tudo sob controle e que eles estão se preocupando à toa. Encontrei mães submetidas durante tanto tempo a essa inversão sistemática da realidade que elas estavam quase acreditando que 33 quilos é um peso razoável para uma menina de 15 anos com 1,60m de altura!

Alguns pais relatam que além do estranho comportamento da filha em relação à comida, ela também passou por uma espécie de mudança de personalidade. Um grande número de meninas que mais tarde se tornam anoréxicas são, na infância, pessoas agradáveis, dóceis, se dão bem com os pais e não têm rompantes de raiva e hostilidade. O surgimento dos sintomas relacionados com a alimentação lhes dá algo por que lutar. Elas deixam de ser jovens agradáveis, obedientes e alegres para se tornarem mocinhas mal-humoradas, teimosas e muitas vezes exigentes. Mais adiante, neste capítulo, veremos que esse comportamento às vezes vem de longo tempo. Mas, para os pais preocupados e confusos, é como se fosse uma transformação assustadora.

A maior parte das indagações iniciais sobre ajuda e tratamento veio de mães que estavam passando pela provação de viver com uma filha anoréxica. Quase sempre elas estão num estado de ansiedade aguda, quanto à maneira como devem conduzir a situação no momento e quanto ao futuro provável de suas filhas. Se o problema vem ocorrendo há muito tempo, elas também se sentem deprimidas e exauridas em seus próprios recursos. Não se pode deixar de sentir solidariedade por essas famílias perturbadas, na luta pela sobrevivência e pela superação de suas dificuldades.

Origens familiares

Se a idéia de "uma boa família" tem algum sentido hoje em dia, então é certamente essa expressão que devemos aplicar ao tipo de família de onde costumam vir as anoréxicas.

Os autores são unânimes em afirmar que as famílias das anoréxicas não apenas desfrutam de bastante conforto material, mas também são normalmente cuidadosas e preocupadas. A experiência no trabalho com elas sem dúvida apóia essa generalização. Sem exceções, as famílias com as quais lidamos levavam a sério suas responsabilidades e desejavam o melhor para suas crianças. Isto é válido, seja para a criança que vive com um dos pais ou com ambos, seja para a família estruturada segundo o núcleo tradicional ou não.

Alguns autores, como veremos, sugeriram que as mulheres anoréxicas vêm de famílias que manifestam certos tipos de psicopatologia. Consideraremos com cuidado essas opiniões, mas antes um alerta: as famílias observadas em tratamento, quando as filhas ou irmãs já se tornaram anoréxicas, estão sob um estresse quase insuportável. Qualquer observação sobre elas e seu comportamento deve ser avaliada sob esta luz. Antes de aceitarmos qualquer das supostas teorias sobre a interação nas "famílias anoréxicas", ou antes de concordarmos com generalizações sobre a psicologia dos "pais anoréxicos", devemos perguntar como pode uma família se comportar de forma normal se vive com uma mulher que insiste sistematicamente em morrer de fome diante de seus olhos? Veremos que os profissionais do campo da saúde mental acham bastante difícil conseguir manter a coerência quando trabalham com mulheres anoréxicas. Para as famílias, eu diria, isso é totalmente impossível.

Antes de recorrermos a alguns autores que contribuíram de forma mais objetiva para nossa compreensão das mulheres anoréxicas no contexto familiar, gostaria de mostrar como são inúteis certas abordagens.

Peter Lembley,[1] no seu livro *How to Survive Anorexia*, pinta um quadro absolutamente dickensiano dos pais da jovem que vai desenvolver um estado anoréxico. Ele os retrata como pessoas centralizadas na família, que têm muito medo do mundo lá fora e transmitem este sentimento aos filhos. São excessivamente controladores.

> Se não agradar aos pais, ela será motivo de sarcasmo e zombarias. Ela teme (justamente) isto e não consegue aceitar tal coisa de bom grado porque sabe que é assim que eles manobram o mundo lá fora (...) É a maior ameaça,

o maior castigo que paira sobre a criança e que a mantém presa ao mundo de seus pais: "Faça as coisas ao nosso modo; seja agradável ou nós a trataremos como uma estranha. Se ousar insistir em fazer as coisas erradas, será alvo da nossa hostilidade — a hostilidade com que tratamos as pessoas fora da família; e pior, se você se rebelar ou nos questionar, nós a rejeitaremos".[2]

Ele segue descrevendo como esses pais são realmente perigosos:

Não só discriminadamente negligenciam os filhos — além de dar-lhes atenção apenas em situações específicas e com atitudes estudadas — como rejeitam de fato, emocionalmente, os filhos rebeldes (...) Os pais interessavam-se pelos filhos só enquanto podiam controlá-los. Raramente se davam ao trabalho de visitá-los quando já não moravam mais em casa (...) Falando sem rodeios, descobrimos que os pais de pessoas anoréxicas eram capazes de um alto grau de crueldade e desinteresse.[3]

Sem rodeios, mesmo. Finalmente, os acusa de desonestidade.[4]

Janet sempre soube que os pais eram "falsos", como ela dizia — uma coisa lá fora e outra em casa (...) Sabemos que os anoréxicos mentem a si mesmos e aos outros indefinidamente. Graças a Janet e a outros sabemos agora de onde vem esta habilidade; eles aprendem em casa.

Mas o dr. Lambley não colhe normalmente as informações que vão apoiar sua hipótese — conversando com as famílias e ouvindo o que elas têm a dizer. Ao contrário, ele convence suas confusas clientes a gravar secretamente as conversas com os pais e a deixá-lo ouvir depois! (Lembrem-se, é *ele* que *os* acusa de desonestidade.)

O exemplo que ele usa para ilustrar sua singular abordagem de pesquisa é a família de uma jovem que ele chama de Janet. Na "fita secreta" gravada por ela, ele ouve a mãe sugerindo que talvez ele não seja um bom médico. A mãe de Janet se queixa de que o dr. Lambley lhe fez perguntas sobre seu casamento, sugerindo-lhe que acreditava que ela era responsável, de alguma forma, pelas dificuldades de Janet. Ela insiste em que não faria nada para magoar a filha e que só quer o melhor para ela. Lambley parece interpretar isso como uma prova da "culpa" da mãe. Se ele se aproxima dos pais com o mesmo espírito com que escreve sobre eles, posso bem acreditar que eles sentem necessidade de se defender de suas opiniões.

Ele não parece estar preparado para trabalhar com as famílias, mas só contra elas. Ele parece estar convencido de que se importa mais com suas clientes anoréxicas do que os pais delas, uma pretensão que, pessoalmente, acho absurda. Não. O bom senso, aliado a um pouco de experiência de trabalho com as pessoas, deve bastar para nos convencer de que se nos aproximarmos de um grupo cheios de pressuposições quanto à sua culpa, se criarmos para uso próprio réus pré-fabricados, perderemos para sempre a possibilidade de descobrir seja o que for que se aproxime de uma compreensão.

Repudiar esse tipo de abordagem que acusa e calunia as famílias não significa dizer que elas às vezes não constituam um elemento crucial no processo de cura. Devemos agora observar algumas das maiores contribuições para nossa compreensão do contexto familiar da anorexia.

Hilde Bruch[5] foi a primeira escritora a investigar cuidadosa e sistematicamente os tipos de famílias das quais provinham suas pacientes anoréxicas. Ela não só observou as famílias no presente como tentou também reconstruir o relacionamento entre pais e filhos quando estes eram pequenos. Suas conclusões, penso eu, são extremamente importantes e merecem séria atenção.

Bruch concluiu que as mães de mulheres que vieram a se tornar anoréxicas tinham quase sempre sido "boas demais". Muito cuidadosas, corretas e talvez excessivamente ansiosas quanto ao bem-estar de seus filhos. Ela relacionou isto com o processo de alimentação. Bruch descreve mães que se adiantavam às necessidades dos filhos. Elas "sabiam" instintivamente, ou pensavam saber, o que a criança queria, e quando, e a satisfaziam sem que esta precisasse "pedir".

O notável pediatra e psicanalista Donald Winnicott descreve o mesmo fenômeno, embora não relacionado com a anorexia. Ele explica o que pode acontecer entre a mãe e o filho muito pequeno quando ela parece ser quase "boa demais".[6]

> As mães que tiveram vários filhos começam a ser tão boas na técnica da maternidade que fazem tudo certo no momento certo, e então a criança que começou a se separar da mãe não tem meios de conseguir controlar tudo de bom que está acontecendo. O gesto criativo, o choro, o protesto, todos os pequenos sinais que devem motivar o que a mãe faz, tudo isto se perde porque ela já satisfez a necessidade, como se o bebê e ela continuassem uma coisa só. Desta maneira, a mãe, sendo aparentemente uma boa mãe, faz mais do que castrar[7] a criança. A esta última só restam duas alternativas: ficar num estado permanente de regressão e de fusão com a mãe, ou encenar uma total rejeição, mesmo daquela supostamente boa mãe.

Pode parecer, à primeira vista, que as opiniões de Winnicott acerca dos problemas da infância e dos seus primeiros anos têm pouco a ver com a anorexia. Mas a semelhança do que ele observou no seu trabalho e o que Hilda Bruch tem a dizer sobre o distúrbio é surpreendente.

Winnicott sugere que nos primeiros estágios da vida mãe e filho têm um relacionamento íntimo, simbiótico, no qual o bebê a sente como uma extensão de si mesmo. Mas, ele acredita, assim que ele comece a perceber-se como indivíduo, a mãe deve ser capaz de se adaptar às mudanças de percepção do filho e sair do estado de fusão com a criança, no qual ela compreende e prevê de forma profundamente intuitiva as necessidades do bebê. Se a mãe continua se antecipando às suas necessidades sem que a criança tenha que expressá-las, ela jamais vai aprender que seu comportamento lhe traz a resposta desejada. Os bebês precisam saber que chorando conseguem chamar a atenção da mãe e lhe "dizer" que estão com fome. Se nunca lhe permitem expressar o que quer, ele poderá crescer muito bem-nutrido porém jamais aprenderá que tem uma voz e que esta é a voz a que as pessoas vão responder. A experiência é fundamental para a aquisição do sentido de poder, da habilidade de influir no mundo e de agir dentro dele, ao invés de ser um espectador passivo. Além do mais, a habilidade da mãe em permitir que a criança vivencie sua separação é essencial para que o bebê desenvolva a compreensão de si mesmo e a autonomia.

Winnicott[8] mostra-se surpreso com o fato de tantas mães conseguirem intuitivamente que o processo se dê de forma correta. Sem o benefício da teoria, quase todas conseguem deixar que a criança saia do estado de fusão para aquele em que mãe e bebê estão separados. Por que algumas têm problemas? Estilos predominantes de cuidados com a criança têm algo a ver com esse processo. A ênfase que os peritos profissionais dão aos horários e rotinas, tão popular nos anos 50 e que ainda têm o seu lugar no pensamento de algumas maternidades hoje em dia, não encoraja as mães a responder realmente às necessidades do filho. Se o cuidado com a criança é visto como uma atividade baseada nos livros e no relógio, então as necessidades do bebê são provavelmente a última coisa em que a mãe tem tempo de pensar. Bruch[9] sugere que os bebês que mais tarde se tornarão jovens anoréxicas talvez jamais tenham realmente aprendido a atender às exigências de seus *próprios* corpos. A criança nunca tem oportunidade de sentir fome porque a mãe a alimenta antes. Ela aprende que a alimentação está associada de alguma forma ao seu relacionamento com a mãe, é algo que a mãe decide e que não está ligado à satisfação de sua própria necessidade física de comida. Bruch acredita que a dificuldade que o anoréxico tem de identificar sensações físicas, e em particular a fome, está relacionada com um fracasso nesse processo anterior de aprendizado.

Segundo ela descreve, o processo continua, e a jovem segue satisfazendo os pais à custa de si mesma. Ela se torna uma jovem obediente, agradável e bastante cordata, que parece fazer sempre o que os outros aprovam. Costuma ser muito sensata, muito adulta na sua maneira de encarar a vida e não aborrece nem desaponta os pais. O que ela não faz é desenvolver um sentido de valor próprio como uma pessoa independente capaz de dirigir sua vida. A jovem que se desenvolveu (ou deixou de se desenvolver) assim vai ter dificuldades na adolescência. Quando chegar a hora de mostrar independência e autonomia, ela provavelmente vai se sentir incapaz de enfrentar o que se exige dela. Se considerarmos de novo as idéias de Winnicott sobre a mãe que continua a se comportar como se ela e o filho fossem um só e não dois indivíduos distintos, é de se esperar que esta criança tenha sérias dificuldades em se separar da família. Voltaremos a este ponto mais tarde, quando examinarmos o relacionamento crucial entre mães e filhas, que constitui uma forte característica na anorexia.

Salvador Minuchin é um terapeuta familiar que estudou o distúrbio no contexto de interação da família.[10] Ele não está muito interessado nos relacionamentos passados ou nos históricos do problema e focaliza diretamente a interação real dos membros da família no espaço e tempo presentes. Ele descreve o trabalho com anoréxicos de um grupo etário muito jovem (9-16). Sua conclusão é que suas famílias costumam ser "fundidas", isto é, seus membros se acham excessivamente envolvidos uns com os outros, e nelas o espaço para o crescimento individual e as diferenças é muito limitado. Isso é bastante coerente com as constatações de Bruch sobre a passividade e a falta de uma verdadeira identidade verificadas entre suas clientes. Minuchin também acha que as famílias com quem ele trabalha tendem a evitar conflitos. Dissimulam as diferenças de opinião e negam situações muitas vezes bastante dolorosas e desagradáveis entre os seus membros.

Minuchin trabalha com a família para aliviar os sintomas iniciais de recusa da alimentação, usando a "sessão do almoço familiar", e para capacitá-las a alterar alguns de seus padrões interativos, a longo prazo. Quando se trabalha com pessoas bem jovens que recentemente apresentaram sintomas anoréxicos, essa abordagem parece muito razoável. No entanto, os métodos de Minuchin agradam a uns mas não a outros. Sheila MacLeod[11] faz um relato caracteristicamente elegante de sua própria reação ao trabalho dele. "Talvez eu esteja sendo insularmente britânica", diz ela, "ao achar esse procedimento tipicamente americano na sua estupidez." Talvez esteja. Mas ela não está sozinha, e o capítulo que escreveu sobre as diversas formas de abordar um tratamento é leitura essencial.

Muitas vezes os pais e as próprias mulheres anoréxicas me perguntam se deveriam fazer uma terapia familiar ou se um tratamento individual para o membro anoréxico da família seria "melhor". Só posso dizer que "depende...".

Depende principalmente das circunstâncias em que se dá o distúrbio. Se a mulher é *muito* jovem, mora com a família, e a idade limita as possibilidades de ela fazer mudanças em sua vida, então, é claro, a maioria dos terapeutas vai querer, de início pelo menos, envolver a família. Se eles vão continuar agindo assim ou não, depende da reação do indivíduo e da família a esta forma de ajuda. Da mesma maneira, se a mulher tiver seus trinta e poucos anos, há uns dez não mora com os pais e apresentou os sintomas anoréxicos tempos depois de sair da casa, neste caso a maioria dos terapeutas começa com um tratamento individual e só inclui a família se achar necessário. Um tipo de tratamento não exclui o outro. No caso da família Kaplan, atendida por Minuchin,[12] ele continuou assistindo sua paciente anoréxica vários anos após ter cessado a terapia familiar.

Existe uma regra apenas: todas as situações em que surgem os sintomas anoréxicos são diferentes. Existem elementos em comum, que incluem a dificuldade que tem um indivíduo de perceber-se como pessoa livre e autônoma e de manter essa noção. Às vezes as famílias são arduamente envolvidas nessa dificuldade, outras não. Se trabalharmos a partir de situações e não de teorias prontas, provavelmente não erraremos muito.

Quero voltar agora ao aspecto da vida familiar das mulheres anoréxicas que considero mais característico: o relacionamento mãe/filha. Posso dizer com certeza que nunca trabalhei com uma mulher anoréxica que tivesse um relacionamento "franco" com a mãe.

Não estou dizendo que as jovens que passam por uma experiência anoréxica se relacionem *mal* com suas mães (embora isto aconteça com algumas), mas apenas que esses relacionamentos são normalmente complexos e intrigantes, tanto para a mãe como para a filha.

Talvez você ache que a recuperação da anorexia implique realmente trabalhar esse quadro e modificá-lo. Mas esta é quase sempre uma das questões mais difíceis para a jovem enfrentar. Quero, portanto, descrever os tipos que encontrei, na esperança de que algumas mães e filhas possam se identificar com o que estão lendo. A relação que tenho em mente é a que se caracteriza pela ambivalência (a coexistência simultânea de fortes sentimentos ao mesmo tempo negativos e positivos) e pelas dificuldades com a separação e a diferenciação.

Conforme já sugerimos, há uma lógica segundo a qual poderíamos supor que o sintoma da anorexia nos encaminharia para o relacionamento com a mãe. Alimentar e ser alimentado são atividades que ocorrem essencialmente entre mães e filhos. Um distúrbio alimentar tende, portanto, a ser associado com dificuldades nesse relacionamento.

Mas não estou sugerindo que elas *causem* a anorexia. Ao contrário, inclino-me a vê-las como sintomáticas da regressão a um estado infantil de dependência que caracteriza esse distúrbio. Se a anorexia é um sintoma de retrocesso com relação à independência, para onde é melhor voltar senão para a mãe?

Mas não podemos encerrar a questão por aqui. A última parte do capítulo é uma tentativa de analisar o relacionamento entre as filhas anoréxicas e suas mães no contexto daquilo que conhecemos em geral sobre a relação mãe/filha em nossa sociedade. O ponto que sustento é que o que se manifesta na atitude regressiva da anoréxica com a mãe também está latente em muitos, senão na maioria, dos relacionamentos mãe/filha como eles comumente existem.

Um dos aspectos mais surpreendentes do trabalho com jovens anoréxicas é a observação de como a figura da mãe é central para elas. Freqüentemente elas afirmam que a pessoa mais importante em sua vida é a mãe. Quando não dizem isto, quase sempre o revelam pelo tempo que passam falando sobre ela.

Existe às vezes a tendência a idealizar esse relacionamento. "O que eu gosto mesmo é de fazer compras com mamãe. Só nós duas. Nosso gosto é tão semelhante! Parecemos mais irmãs." "Minha mãe é a única pessoa que realmente me compreende. Sei que só ela pode me ajudar a resolver este problema."

Mas quando o assunto continua, muitas vezes percebemos que sob essa aparência existem sentimentos de carência, de não ter suficiente atenção da mãe. "Ela está sempre cansada e ocupada com os outros e com a casa! Quase não temos mais tempo para conversar. Às vezes ficamos acordadas até tarde. Ela é a única pessoa que realmente sabe o que estou passando."

Esse sentimento de não ter bastante tempo, atenção e cuidados da mãe pode levar aos ressentimentos contra outros membros da família. "Ela passa um dia inteiro por semana com Gillian (uma cunhada mais velha que tem um bebê) e não tem mais tempo para nada. Gillian tem o John. Ela não *precisa* de minha mãe como eu."

Algumas mulheres anoréxicas sentem-se fortemente ligadas aos pais, mas isto é raro. Quando tal fato ocorre, existem sempre sentimentos de culpa por ele estar mais ligado a ela do que à mãe, ou um ressentimento porque a mãe não demonstra mais interesse por ela. Com mais freqüência constatei que o pai é uma figura um tanto distante — o que não é raro nas famílias hoje, sejam elas de núcleo tradicional ou não. Mas ficou evidente que as mulheres que se revelam anoréxicas tendem a ter muito *interesse* pelo pai. Às vezes esse sentimento é positivo e toma a forma de um desejo de agradar e de estar perto dele; em outros casos, é negativo e até constitui uma forma de aversão. Mas o interesse está sempre ali. O pai parece ser uma figura misteriosa. Às vezes temida, outras adorada — porém um objeto de fascinação em grande parte desconhecido.

Apesar da presença do pai "irreal", um grande número de meninas anoréxicas se *comportam* como se elas e a mãe fossem de fato os dois únicos membros da família. Todos os outros parecem ter pouco ou nada a oferecer e são vistos como pessoas inconvenientes que tomam o tempo da mãe.

Sempre que possível, procuro entrevistar a mãe sozinha, pelo menos uma vez, embora jamais sem a permissão da filha. De início, esta quase sempre resiste: qualquer sugestão de que as duas são pessoas distintas, com opiniões diferentes, pode assustar muito nesse estágio. Quando consigo entrevistar a mãe, costumo ter um quadro bem diverso do outro bastante idealizado que a mulher anoréxica fez. "Quero tanto ajudá-la! Mas, honestamente, não suporto mais. Ela quer a minha atenção constante. O tempo todo. Por causa disso desisti de trabalhar. É claro que não lhe disse isso."

Trabalhei com duas jovens que insistiam em que a única forma de conseguirem comer era freqüentando restaurantes com a mãe, deixando em casa o resto da família. Num dos casos, isto ocorria diariamente. Ambas as mães se queixaram de como era exaustiva tal exigência, tanto em termos de tempo como de dinheiro. Uma delas tinha até que deixar pronta uma refeição para a família. Uma das filhas insistia em que a mãe realmente gostava das refeições que as duas faziam juntas, que isto a tirava de casa. A outra simplesmente dizia que não poderia sobreviver de forma diferente. O interessante é que, apesar dos seus protestos, as mães faziam o que as filhas pediam e não descobriam um jeito de resistir a essas exigências. Sentiam-se responsáveis pela alimentação das filhas, ainda que as duas fossem jovens adultas e uma tivesse vivido fora de casa por um ano ou mais.

Outras mães descrevem o constrangimento que sentem diante dos infindáveis rituais das filhas com a comida, a pressão que exercem para que elas comam juntas, ou para que comam muito enquanto ela passa fome. As "conversas" que a mulher anoréxica tanto valoriza são vivenciadas pela mãe como algo doloroso, imutável e que não leva a nada.

Resumindo: tanto a anoréxica quanto a mãe concordariam, tipicamente, que são muito "íntimas". A filha sente muita falta da mãe e costuma ficar zangada por não ter satisfeita sua necessidade. A mãe, por outro lado, acha que está fazendo tudo o que pode para ajudar, mas na verdade é impotente. Fica muito zangada e frustrada porque nada parece ser o bastante, mesmo que ela negligencie o resto da família. Sua impotência diante das dificuldades da filha fazem-na sentir-se culpada e fracassada.

A realidade da interação entre as duas é, de novo, muitas vezes diferente. Encontrei mães muito assustadas com as filhas. Sob o peso da deplorável ameaça de filhas que não comem, elas vivem uma espécie de tirania; tendem a fingir que concordam com elas porque temem que o menor sinal de desacordo provoque lágrimas e "piore as coisas".

Voltando um pouco atrás, talvez queiramos dizer que esse tipo de relacionamento é, sob vários aspectos, característico daquele que existe entre a mãe e uma criança bem pequena. A intimidade entre as duas, o sentimento de que só uma entende a outra, o amargo ressentimento e a raiva de ambos os lados, parecem indicar que elas de fato não existem como indivíduos separados. É como se a filha acreditasse que depende da mãe para a própria sobrevivência. E a mãe se comporta como se assim fosse. Ela pode protestar, dizer à filha que deve ser mais responsável por si mesma, mas o comportamento trai suas palavras; a menina ainda é responsabilidade da mãe. A filha acredita que a mãe a compreende melhor do que ela mesma. Esta continua a ter uma empática e íntima percepção das necessidades da filha, uma percepção que pode ser correta, mas é inadequada quando ocorre entre dois adultos. É como se ambas esperassem demais uma da outra e do relacionamento. A filha se comporta como se precisasse de cuidados gerais — como uma criancinha — e a mãe consente num tipo de união que vai durar a vida inteira.

As mães às vezes estão tão envolvidas com as filhas que realmente sentem a aflição delas como se fosse sua. Às vezes, nas entrevistas com meninas anoréxicas e suas mães, não consigo saber a quem pertencem os sentimentos descritos. "Os dias parecem tão longos", uma mãe disse. "Passamos de uma refeição a outra, todas terríveis." A filha parecia transtornada, como se fosse chorar. A mãe falava realmente pelas duas.

Até aqui falei sobre mulheres que desenvolveram um distúrbio anoréxico e os tipos de relacionamento que elas mantêm com as mães. O quadro que pintei pode parecer um tanto grotesco, patológico mesmo. O comportamento pode não ser comum, mas quero continuar sugerindo que os *sentimentos* que o acompanham ocorrem com freqüência em nossa sociedade. Jane Flax,[13] psicoterapeuta cuja experiência clínica não é com mulheres anoréxicas e sim com estudantes universitárias que apresentam dificuldades diversas, acredita que a necessidade de ter alguém que cuide delas e ao mesmo tempo ter independência é a causa do conflito existente na vida de tantas mulheres. Ela diz: "O que as mulheres querem é ser cuidadas e ter autonomia dentro de um relacionamento íntimo. O que torna tão intenso e, para muitas mulheres, tão inatingível este desejo é que o desenvolvimento psicológico ocorre dentro da família patriarcal — em que a mulher é a principal alimentadora e o pai, o símbolo da autoridade".

Ela segue explicando como essa situação que aceitamos naturalmente afeta os relacionamentos que as mães conseguem estabelecer com as filhas. E sugere que as dificuldades se originam da identificação mais íntima entre as duas. Por serem ambas do sexo feminino, a mãe tende a ver a menina como "ela mesma", enquanto o menino é nitidamente, e desde o início, um "outro". Devido a essa identificação maior, ter uma filha provavelmente aumenta ainda mais os conflitos não resolvidos da mãe. Jane Flax continua, dizendo: "As próprias mulheres admitem isso. Com as filhas, a confusão de quem é a mãe e quem é a criança se intensifica. As pacientes mulheres me disseram que se sentiam muitas vezes pressionadas pelas próprias mães a dispensar-lhes os cuidados que elas não tiveram na infância. As mulheres são menos inclinadas a apresentar esse tipo de confusão ou expectativas com o filho homem porque estes não são vistos como pessoas que cuidam e alimentam em nossa cultura".

Ela lembra que as mães podem também ter uma dificuldade inconsciente com a proximidade física de suas filhas. A forte proibição social do amor físico entre pessoas do mesmo sexo tem conseqüências mais sérias para as meninas do que para os meninos. Os homens são capazes de redescobrir com uma mulher a intimidade física e acalentadora que um dia experimentaram com as mães. Conforme diz Jane: "Como pessoas adultas, as mulheres devem reprimir o anseio de intimidade física com outras mulheres, pois uma vez perdido o corpo da mãe pela diferenciação, ele está perdido para sempre; mas o menino substitui a mãe por outra mulher".

Finalmente, é preciso reconhecer que as mães podem inconscientemente ter medo de dar atenção demais às filhas; sabem muito bem que elas terão que aprender a cuidar dos outros e que talvez não tenham suas próprias necessidades satisfeitas.

E quais são os resultados desse conflito que Jane Flax acredita ser inerente ao modo como as mães se sentem em relação às filhas?

> Em conseqüência de todos esses conflitos, a mãe tem mais dificuldade de estar tão disponível emocionalmente como sua filhinha deseja. As mulheres estão, portanto, mais propensas a conservar um desejo de voltar ao estado infantil (...) Se a experiência simbiótica não foi adequada, o processo de separação e individuação que se segue é também mais difícil para a criança do sexo feminino. Falta-lhe, de certa forma, a base firme a partir da qual vai se diferenciar (...) Se a simbiose não foi adequada, esta fase se retardará

ou será prematura, conforme a menina tente desesperadamente afirmar alguma autonomia sem que tenha os recursos interiores para isso. Nos dois casos, o sentido de identidade e de ser capaz de estabelecer relações com os outros tende a ser mais frágil e deficiente.[14]

É preciso lembrar que esta análise se refere aos relacionamentos entre mães e filhas *em geral*. Não é uma avaliação das origens da anorexia. Mas quando olhamos para o que já foi dito acerca dos relacionamentos peculiarmente intensos porém insatisfatórios que as mulheres anoréxicas e suas mães tendem a desenvolver, algumas peças do quebra-cabeça começam a formar um novo quadro.

O sentimento de jamais conseguir atenção suficiente, nunca ter o bastante da mãe, que é uma característica tão comum numa fase anoréxica, parece agora estar muito mais difundido. Muitas mulheres o compartilham. A ambivalência por parte das mães de filhas anoréxicas que descrevi — desejam continuar a cuidar delas mas ficam preocupadas com sua falta de autonomia e são tiranizadas por suas exigências — talvez seja agora uma característica de muitos relacionamentos mãe/filha.

O que vemos nas mulheres com distúrbios anoréxicos, contudo, é uma expressão muito mais óbvia desses conflitos. Como explicação, podemos sugerir que o conflito é realmente mais agudo do que o que ocorre num relacionamento "normal" desse tipo, ou que ele é apenas expresso de forma mais incisiva e evidente. As duas hipóteses podem ser verdadeiras, mas suspeito que o que estamos vendo realmente é uma *manifestação* perturbadora de um relacionamento que no tipo de sociedade em que vivemos será sempre problemático.

Por que a mulher anoréxica começa a demonstrar e expressar suas necessidades insolúveis de ter um colo, o vazio sem fundo que ela guarda dentro de si e que só pode ser preenchido por mais e mais atenção de mãe? Acho que a resposta é que a mulher que atravessa uma fase anoréxica desistiu temporariamente de tentar fingir que é independente. A luta para entender a vida como um adulto autônomo foi abandonada. Todos os seus sentimentos e necessidades infantis voltaram a aflorar. Se no quadro existe a mãe, ela será o alvo desses sentimentos confusos e ambivalentes. Se não há mãe, o marido, a irmã ou uma amiga é que se verão como destinatários dessas exigências de atenção que parecem impossíveis de satisfazer.

Paradoxalmente, enquanto sua alma clama por atenção e cuidados, ela se recusa a alimentar o corpo, nem mesmo o mínimo que seja, e rejeita as tentativas dos outros de fazer isso por ela. Aqui tropeçamos numa outra dinâmica surpreendente da anorexia, que a torna ao mesmo tempo difícil de tratar, porém tratável. A necessidade de ter alguém que cuide dela, de ser quase totalmente dependente, e o desejo de ser autônoma, distinta, isolada mesmo, provocam um conflito que não permite à mulher viver em paz.

Nenhuma família é uma ilha

Foi difícil escrever este capítulo. Por ora, algumas das dificuldades ficaram evidentes.

Sejam quais forem os resultados das pesquisas que possamos acumular sobre as famílias que "provocam" anorexia, quanto mais perspicazes possam ser nossas observações dos relacionamentos existentes entre as mulheres anoréxicas e as pessoas que lhes estão próximas, continuamos nos deparando com um fenômeno essencialmente social.

As famílias não se criam por si. São mais que "redes interligadas de relacionamentos". Elas são a unidade sócio-econômica fundamental de nossa sociedade. Como tal, têm diversas funções sociais a realizar. Isso inclui proporcionar o bem-estar social e material das crianças. Como vimos no capítulo 2, vivemos num mundo eivado de conflitos acerca de como uma mulher adulta deve ser. Não nos surpreenderia se as famílias inconscientemente os transmitissem às suas jovens mulheres — na verdade estranharíamos se elas não o fizessem.

Qualquer teoria sobre a síndrome anoréxica que se limite a uma análise de famílias está errada. O problema de milhares de jovens talentosas que a cada ano decidem morrer de fome não se resolverá trabalhando-se simplesmente com suas famílias. Esta é só uma das dimensões da questão. Em alguns casos, entretanto, ela é importante. As famílias podem não criar o problema, mas certamente às vezes são capazes de preparar o campo em que ele se resolverá.

5

O PESO IDEAL: UM MÉTODO COMUM DE TRATAMENTO

Se você está passando por uma fase anoréxica, a decisão de procurar ajuda é muito séria e penosa. Talvez você se assuste com a perspectiva de deixar alguém saber como se sente mal, além do medo de perder o controle de seu próprio tratamento.

Neste capítulo quero examinar quais devem ser os objetivos da terapia e descrever algumas das abordagens freqüentemente usadas. É importante que você, que vai receber o tratamento, compreenda quais são as questões envolvidas, para poder tomar decisões eficazes acerca do que lhe acontece. É importante também compreender que os profissionais que trabalham nesta área são pessoas humanas e que seu sofrimento os afetará.

Para que possa haver uma boa recuperação, o tratamento tem que ter dois objetivos. Um é salvaguardar seu bem-estar físico, garantir que você vai sobreviver. O outro é capacitá-la a ter uma certa compreensão do que está por trás de sua dificuldade de se alimentar, e a descobrir soluções diferentes para ela. A maioria dos autores que têm se manifestado sobre o assunto concordam em que os dois objetivos são indispensáveis para o sucesso da recuperação. Existem, entretanto, pontos bastantes abrangentes de desacordo quanto à relação entre um e outro e acerca da relativa importância do aumento de peso em oposição à compreensão e mudança de atitude.

Antes de ver rapidamente o que os outros escritores têm a dizer, deve ficar bem claro que durante a fase anoréxica a pessoa se torna fisicamente muito doente e pode até morrer. Todos nós que trabalhamos com mulheres anoréxicas queremos ajudar a evitar que isso aconteça. Quando se chega a um ponto em que não se consegue manter um nível mínimo de saúde física, os primeiros socorros são necessários. Nenhum terapeuta, ainda que talentoso ou experiente, pode ou deve tentar trabalhar com uma mulher moribunda. Isso não significa que o aumento de peso seja uma solução para os problemas reais. Pelo contrário, você vai descobrir logo no início da recuperação que o fato de engordar é um indício muito fraco do progresso que você está realmente fazendo ao aprender a lidar com sua vida de uma forma mais satisfatória.

Hilde Bruch, no seu livro mais recente, *The Golden Cage,*[1] sugere que além dos efeitos quase mortais do grave e prolongado jejum, as mulheres demasiadamente magras não são capazes de avançar na sua compreensão porque seu pensamento está comprometido. Ela lembra que 40-43 quilos é o peso mínimo necessário para que uma mulher seja capaz de manter suficientemente bem suas funções, para poder usar a psicoterapia. Mas ela não impõe regras rígidas para "pesos-alvo" ou "pesos ideais". Simplesmente afirma que as mulheres devem estar fisicamente bem o bastante para ser capazes de pensar e tentar resolver seus problemas. Esta me parece uma abordagem basicamente razoável. Deixa a mulher e a pessoa que a está ajudando livres para discutir e decidir quantos quilos a paciente precisa ou não engordar inicialmente.

A idéia de um peso ideal ou alvo tem conquistado uma certa popularidade nestes últimos anos. R.L. Palmer[2] defende que o médico deve estabelecer como objetivo o peso médio ou "normal" para a altura da mulher, esteja ela sendo tratada como paciente interna ou externa. A.H. Crisp[3] sugere que a mulher anoréxica deve recuperar o peso anterior. Ele considera este um pré-requisito para a recuperação. O que ele quer dizer é que a mulher não vai começar a vivenciar de novo os conflitos que a levaram a adotar uma solução anoréxica antes de atingir o mesmo peso com que estava na época dos conflitos originais. Acho esta idéia bastante interessante. O problema é que ela dá muita importância ao peso em si. Isto é cometer um erro fundamentalmente "anoréxico"; trata o peso como possuidor de uma qualidade mágica, permitindo que os números da balança substituam a realidade. Este é realmente o problema com todos os tipos de tratamento que estipulam normas rígidas para engordar. Como diz Hilde Bruch:[4] "A paciente precisa saber, e a família também, que apesar das aparências, não se trata de uma doença do peso ou do apetite — o problema essencial está relacionado com dúvidas interiores e falta de confiança em si mesma".

É preciso tornar a dizer: recuperar o peso, embora às vezes necessário para garantir a sobrevivência, não é solução para o problema de anorexia. A maioria dos autores concorda em que é, na melhor das hipóteses, uma medida parcial e temporária.

A experiência do tratamento

Apesar da insistência da maioria dos autores contemporâneos em afirmar que a psicoterapia é indispensável nos métodos de tratamento, a queixa mais comum apresentada pelas anoréxicas e suas famílias, quanto ao tratamento que elas estão recebendo, é que neles se tem focalizado quase exclusivamente o aumento de peso. "Ele não está interessado em mim — só quer saber é se este saco [indicando o corpo] pesa quarenta e cinco ou quarenta e seis quilos."

Hilde Bruch[5] acredita que se a hospitalização for necessária, é melhor que seja em unidades especiais, onde a equipe é qualificada e experiente. O fato é que a grande maioria das mulheres com um distúrbio anoréxico não é tratada assim. É, portanto, muito difícil generalizar acerca de formas "padrão" de tratamento.

A anorexia nem sempre é tratada em instituições psiquiátricas. Como normalmente é o clínico a primeira pessoa a quem a mulher é encaminhada, depende dele (ou dela) decidir onde e quando ela deve procurar uma ajuda mais especializada.

Muitos clínicos tentam inicialmente resolver eles mesmos o problema, tratando da paciente sem interná-la num hospital. Essa atitude é bastante comum nos casos em que o médico conhece a mulher ou a família há muito tempo e, sinceramente, não consegue acreditar que aquela menina tão sensata que ele conhece possa estar precisando de cuidados especiais.

Esse tratamento por um clínico geral, ou através de um serviço médico acadêmico, pode às vezes ter bons resultados. Como veremos, uma reação muito exagerada diante do problema pode ser desastrosa. Se as dificuldades são recentes e a mulher é capaz de procurar ajuda por si própria ainda na fase inicial, o resultado provavelmente será bom em qualquer caso. Ela será capaz de se ajudar se for estimulada a isto e se houver uma conversa superficial sobre seus problemas.

Se a ajuda do clínico geral não deu resultado, é porque o problema se complicou muito — os sintomas eram muito graves — ou o médico não teve tempo. Orientar mulheres anoréxicas é algo que leva tempo, e não é de estranhar que muitos profissionais de saúde considerados "linha de frente" sejam incapazes de ir até o fim.

Quando se indica um especialista, este pode ser um psiquiatra, um clínico geral ou, ocasionalmente, um ginecologista. Este último será consultado se a ansiedade inicial se originar de uma amenorréia. O médico provavelmente indicará alguém que ela conheça, que ela acredita ter interesse pelo problema ou com quem já se tratou antes. A disponibilidade da ajuda de um especialista obviamente varia de um lugar para outro. Tem-se aí, portanto, uma situação bastante estranha em que não se aceita um "itinerário" único de indicações para a mulher que acredita estar sofrendo de anorexia.

Mas o resultado, em termos do tipo de tratamento que ela terá, pode não ser afinal muito diferente.

Em 1874, William Gull[6] aconselhava o seguinte plano de tratamento. "Deve-se alimentar as pacientes a intervalos regulares e cercá-las de pessoas que possam ter controle moral sobre elas; parentes e amigos são geralmente os piores enfermeiros." É difícil acreditar que mais de um século se passou e tão pouco progresso se fez nos tratamentos que se oferecem às anoréxicas.

Eis a experiência de Heather, típica de dezenas de mulheres que receberam orientação.

Heather, uma jovem bonita e tranqüila de uma cidade do norte da Inglaterra, começou a emagrecer quando se preparava para entrar na faculdade. Depois de terminar o colégio, passou alguns meses na Itália antes de retomar os estudos no sul. Durante a viagem, ela engordou um pouco. O primeiro período na faculdade foi muito tenso. Heather sentia saudade de casa, não fazia amigos facilmente e percebia que os colegas eram mais requintados do que ela, seu sotaque nortista soava estranho e seus interesses caseiros pareciam-lhe agora monótonos. Decidiu emagrecer o que havia engordado. Por ocasião das festas de fim de ano, tinha perdido nove quilos e meio e estava pesando cerca de quarenta e quatro quilos e meio. Heather conseguiu se arrastar por mais dois períodos. Seu orientador na faculdade ficou preocupado e a encaminhou ao serviço médico. Ela implorou que a deixassem continuar até o final do ano, quando passaria as férias de verão em casa e engordaria um pouco. Mal conseguiu passar nos exames finais e voltou para casa pesando trinta e cinco quilos. Os pais ficaram horrorizados, levaram-na ao médico da família e a internaram no hospital da região. Disseram-lhe que tinha que engordar até alcançar cinqüenta quilos. Confusa e assustada, Heather submeteu-se a um repouso e uma dieta de alta caloria. No final das férias ela estava pesando um pouco mais de quarenta e quatro quilos e recebeu alta, sentindo-se gorda e inchada. Foi atendida mais uma vez como paciente externa antes de voltar ao sul, para assumir seu lugar na faculdade e iniciar o segundo ano.

Por volta do Natal, seu peso voltara a cair para quase trinta e oito quilos. O serviço médico da faculdade foi mais rápido desta vez; ela foi internada no hospital psiquiátrico da região. Desta vez, falaram de um "contrato". Segundo Heather, o que ela lembra da experiência, não lhe permitiram decidir nada a respeito de como seria seu tratamento. Estabeleceu-se novamente um "peso-alvo" de cinqüenta quilos. Disseram-lhe que não poderia se levantar da cama até engordar nove quilos e meio. Todos os privilégios, tais como livros, televisão, pessoas com quem conversar, dependiam de quanto ela engordasse. Não podia escolher o que comia. Fortemente deprimida, Heather não comeu nada durante uma semana. No esforço para vencer sua teimosia, até os travesseiros foram retirados e não lhe permitiam sentar-se. As enfermeiras foram instruídas para não falar com ela, a menos que se alimentasse. Ela queria escrever aos pais. Negaram-lhe lápis e papel. Finalmente, é claro, Heather começou a comer. Engordou rapidamente, já que a quantidade de alimentos que tinha de ingerir era muito grande. Se ela se recusasse a se alimentar, perderia novamente as "regalias" (visitas, por exemplo) que tinha conquistado. Em março, estava pesando quarenta e sete quilos e meio. Os pais a tiraram do hospital e a levaram para casa. No hospital, acharam que ela tinha se saído "muito bem", mas recomendaram-lhe um período mais longo de internação até chegar ao peso "ideal". Após duas semanas em casa, Heather tomou uma overdose de pílulas para dormir de sua mãe. Desta vez foi internada num hospital psiquiátrico perto de casa. Aí finalmente encontrou quem a ouvisse. Estava muito deprimida, sentia-se humilhada e derrotada. Além disso, perdera totalmente o controle de sua alimentação. Comia demais o tempo todo e criara o hábito autodestrutivo de provocar o vômito para não engordar.

Foram necessários vários anos de muito esforço terapêutico e constante ansiedade em relação ao seu peso para que Heather conseguisse suficiente autoconfiança e sua vida se tornasse algo próximo do normal novamente.

A segunda experiência de Heather no hospital foi particularmente brutal e inútil, mas nem por isso atípica. A técnica de retirar os "privilégios" para forçar as pessoas a engordar é conhecida como modificação de comportamento. Foi moda nos anos 70 e ainda hoje é muito usada. É uma tentativa de forçar a alimentação através de prêmios. A curto prazo, é claro, funciona. É possível induzir as mulheres anoréxicas, como todo mundo, a fazer o que não querem, tornando a alternativa tão desagradável que elas não têm escolha.

O custo, no entanto, pode ser muito alto. Já em 1964, Hilde Bruch escreveu um ensaio chamando a atenção para os perigos desse tipo de abordagem.[7] Ela diz que o aumento de peso rápido sem que se dê atenção às dificuldades subjacentes pode levar à depressão suicida.

Se voltarmos aos conflitos internos vivenciados pela mulher anoréxica, não será difícil compreender por que esse tipo de abordagem é tão destrutivo. Já lembrei que a anorexia representa uma tentativa de manter o controle. Ela é um sintoma de que a mulher acha que sua vida não lhe pertence. Limitar a alimentação e continuar emagrecendo são as duas únicas coisas que ela se acha capaz de fazer. Ela sente que existe nela um lado que é "forte", "bom" e "digno". E este é que é capaz de controlar seu peso e que se recusa a sucumbir à tentação de fraquejar e comer. Forçá-la a engordar é o mesmo que arrancá-la da segurança do seu refúgio; o único aspecto da vida com o qual ela se sente realmente comprometida lhe é subtraído. O sentimento de perda é enorme.

Se a mulher numa fase anoréxica não percebe seu próprio valor, se ela se acha tão impotente quanto inútil, é apenas um sentido precário de sua importância que ela conserva mantendo-se muito magra. Ela sente que a qualquer momento pode perder a capacidade de continuar a luta. A tentação de *comer* é às vezes quase irresistível. Só depois de recuperadas é que elas conseguem expressar como é grande o sofrimento físico e emocional da fome; naquele momento, elas dizem que não têm apetite.

Assim, um tratamento que se concentre no peso ganho como o caminho para a cura acaba fazendo a mulher se sentir um total fracasso. Tanto quanto ela odeia seu novo corpo gordo, ela o interpreta como sinal de sua própria fraqueza e estupidez.

Se sabemos que a anorexia é um problema relacionado com o autodomínio, se consideramos que os objetivos a longo prazo de um tratamento é fazer com que a mulher possa ter um controle adequado e sensato de sua própria vida, tornar-se agente efetivo de tudo o que lhe diz respeito, então uma abordagem que comece subtraindo-lhe os últimos vestígios de tentativas de controlar sua vida será, na melhor das hipóteses, inútil; e no pior dos casos, definitivamente perigosa.

Quando uma pessoa decide procurar um tratamento para seus sintomas anoréxicos, pode perceber em si mesma uma atitude ambivalente em relação às próprias dificuldades. Em parte, ela realmente quer ajuda. Está desesperada e cansada da contínua luta contra a comida. Quer um alívio, provavelmente. Sem dúvida, ela é bastante sensata para ver que o caminho implacável que escolheu não a levará a lugar algum. Por outro lado, ela talvez não se sinta capaz ou preparada para desistir e tentar se entender com suas dificuldades do ponto de vista de um peso normal. Talvez ela não consiga imaginar como isso será possível. É inconcebível. A mulher anoréxica às vezes mostra um dos lados desse quadro ambivalente: "Eu quero ficar boa. Sei que tenho de parar com isto. De agora em diante vou comer direito". Às vezes aparece outro: "Ninguém vai conseguir me engordar. Não há nada de errado comigo. Sei como me sinto, e eles estão se preocupando à toa".

No capítulo seguinte veremos como tratar esta ambivalência numa situação de aconselhamento. No que se refere à volta à alimentação, as pessoas envolvidas no processo tendem a se fazer aliadas da mulher num dos aspectos de sua experiência. Dizem a ela que a parte que quer ficar "boa" é a parte saudável. A que se obstina na solução anoréxica é doente, ruim ou tola. Nega-se, ignora-se e rotula-se de doentia aquela parte que precisa ser compreendida e grita por socorro, a que acha que a única maneira possível de continuar vivendo é manter-se magra.

Por conseguinte, pode e é freqüente acontecer que o corpo da mulher tratada no hospital se torne objeto de disputa entre ela mesma e as pessoas que tentam "tratar" dela. A insistência para que engorde provoca sua reação negativa. A teimosia dela, pois é assim que quase sempre é vista, por sua vez ajuda a reforçar as vigorosas tentativas para vencer isso. Ela se sente invadida, maltratada e incompreendida e recorre às mentiras e dissimulações nos seus esforços para não ceder. As mulheres que se recuperam de um episódio anoréxico quase sempre se lembram dessa época com vergonha. "Saí do hospital muito pior do que entrei." "Hospital? Lá aprendi a engânar os outros."

As mulheres que sofrem de anorexia não são pessoas desonestas ou dissimuladas. Mas, se sentem que sua vida está em perigo, fazem de tudo para tentar sobreviver. É uma reação saudável, e não "louca". E a equipe do hospital também trapaceia. Quantas vezes as pacientes anoréxicas ficam sem saber que acrescentaram um alto teor de calorias em sua dieta? Não é de surpreender que desconfiem de tudo o que comem.

Nas sessões de treinamento de enfermeiras que trabalham com mulheres anoréxicas, sempre há quem diga no final: "Estou entendendo melhor o problema, mas se revelo alguma compreensão quando estou tentando fazer com que a paciente coma, ela usa isto como desculpa para não se alimentar". Numa análise mais objetiva, em geral se descobre que a própria enfermeira, ao compreender melhor o que a paciente está sentindo, fica mais propensa a relaxar a intensidade com que a força a comer. E aí se sente um fracasso como enfermeira.

Talvez seja importante perguntar se de fato é o regime prescrito que está falhando. Se as enfermeiras só trabalham como robôs, se a simpatia delas e sua percepção do sofrimento da paciente as fazem realizar um mau serviço, então estamos lhes pedindo que desempenhem a função errada.

Cuidar de mulheres anoréxicas é uma tarefa muito difícil. Elas provocam nas pessoas que as ajudam fortes reações, que vão do horror à inveja. Isto ficou claro para mim quando observei duas enfermeiras afastando-se do leito de uma jovem anoréxica depois do "almoço". Elas haviam passado quase uma hora tentando convencê-la a comer. Conversaram com ela, procuraram distrair sua atenção do prato, deram-lhe de comer em turnos, disseram-lhe que era uma menina boba e, finalmente, afastaram-se derrotadas. Quando voltaram ao gabinete, uma dizia para a outra: "Ah, eu *queria* ter essa força de vontade. Vinha fazendo tão bem meu regime, mas ontem caí na farra". A reação da enfermeira era muito natural e "humana". Mas se a enfermeira comunicou de maneira não declarada o que sentia à mulher anoréxica (e quase certamente isto aconteceu), suas exigências devem ter-lhe parecido ainda mais confusas. As anoréxicas fazem as pessoas que cuidam delas se sentirem gordas e desleixadas. Se é preciso conter esses sentimentos, vencê-los e não permitir que eles desvirtuem o trabalho com a "paciente", as enfermeiras, os médicos, os conselheiros e todos os envolvidos no processo de ajuda precisam ter competência para explorar e monitorar o que sentem em relação ao problema. Eu mesma sempre acho que trabalhar com anoréxicas me dá fome. Isso não é novidade; tem sido assim comigo desde o início. Só posso compreender isso assumindo que gostaria realmente de comer por elas.

Se a realimentação é necessária — e nem sempre é — deverá ser feita com cautela, compreensão e sem remorsos. É muita desonestidade permitir que as mulheres anoréxicas e seus pais acreditem que alimentando-as se resolve o problema. Infelizmente há ocasiões em que isso é necessário, para que a mulher possa iniciar um trabalho de compreensão de si mesma e de seu estado.

Se for preciso interná-la para os primeiros socorros nutricionais, deve-se tentar tudo para reforçar e não reduzir sua auto-estima. É preciso encorajá-la a assumir o máximo de controle de que for capaz para decidir o que vai lhe acontecer. Se a hospitalização for feita de forma mais piedosa e individualizada, a mulher não vai engordar tanto em tão pouco tempo, poderá ser uma paciente mais "difícil", será preciso tanto ouvi-la como alimentá-la. Mas diminuirão as chances de prejudicá-la gravemente durante esse processo.

As reações à hospitalização

É óbvio que o tratamento hospitalar às vezes funciona. A mulher recupera não só o peso mas também o sentido de identidade, de valor e capacidade para continuar a crescer em vez de murchar numa meia-vida anoréxica. Quando funciona, quase sempre é porque o tratamento é humano e equilibrado. Combina-se a terapia com cuidados físicos, e as verdadeiras necessidades da mulher são compreendidas. Mas vou me limitar aos exemplos em que a hospitalização não teve tanto sucesso, porque francamente é o que tenho visto com mais freqüência. A maioria das pacientes que meus colegas e eu atendemos num período de dois anos, numa agência de aconselhamento voluntário para anoréxicas, já tinha pelo menos uma experiência de internação. Muitas haviam passado meses de sua vida submetidas a diversos regimes em hospitais. A maioria era reencaminhada para tratamento porque voltara a emagrecer. E este é o motivo mais pragmático de todos para se considerar o tratamento nos hospitais, em geral, inadequado — ele simplesmente não funciona a longo prazo. A não ser que a mulher esteja pronta e capaz de desistir de sua vida anoréxica, ela engordará só para tornar a emagrecer.

Existem razões para se acreditar que a hospitalização pode às vezes não só deixar de ser uma ajuda para o problema a longo prazo, mas na verdade complicar e impedir o processo de recuperação; pode tornar muito mais difícil para a mulher enfrentar suas verdadeiras dificuldades num estágio posterior.

Nem todas reagem à hospitalização da mesma maneira. Algumas resistem ao tratamento. Não "cooperam" e por fim só consentem em engordar para ter alta e novamente buscar seu objetivo de extrema magreza. Elas literalmente comem sua permissão para sair do hospital. Elas fingem concordar com os objetivos da equipe médica, mas é tudo fingimento; sabem que o alvo que têm em mente é bem diferente. Para algumas dessas mulheres, a experiência da internação apenas reforça sua crença de ser incompreendida ou de que ninguém é solidário com sua secreta obsessão. Só conseguem se manter procurando evitar os médicos e continuando com seu próprio regime particular. As mulheres nesta situação contam, às vezes, que se apresentam nas consultas regulamentares para pacientes externos depois de terem bebido vários copos de água. Isso comprovará que estão mantendo o peso. Algumas dizem que até colocam pesos de chumbo nos bolsos antes do ritual da balança no consultório. A reação dos médicos desconfiados é pedir que as mulheres se dispam antes de pesar. Mas, realmente, essa guerra de vontades, esta tentativa da paciente de ser mais esperta que o médico e vice-versa, é extremamente contraproducente. As mulheres que receberam esse tipo de "ajuda" têm quase sempre uma profunda desconfiança de qualquer um que venha a falar com ela no futuro. Aprenderam que a ajuda consiste num esforço, por parte de quem as atende, de controlar seu comportamento. O serviço de assistência parece não ter nada a oferecer a essas mulheres. Isso significa que qualquer tipo de conselho ou ajuda terapêutica que se possa oferecer mais tarde será visto com profunda desconfiança, e as pacientes, no caso, recearão que a única coisa que se deseja é metê-las na cama do hospital mais próximo e engordá-las!

As mulheres que passaram por experiências infelizes de hospitalização no passado, e resistiram a elas, tendem também a procurar envolver as pessoas que lhes prestam auxílio numa guerra por controle — mesmo que o objetivo do profissional seja tornar a mulher capaz de controlar sua própria vida. Elas temem que, concordando com uma só coisa que digam, estarão cedendo e se entregando ao desejo dos outros.

Outras mulheres que são hospitalizadas durante uma fase anoréxica "rendem-se" muito facilmente. Parece que tudo aquilo que o regime do hospital dita elas aceitam, acham razoável e correto. Isso significa que elas estão concordando com a definição do hospital sobre seu próprio comportamento — que ele é tolo, bastante infantil e errado. Diante do nível muito baixo de auto-estima das jovens quando entram numa fase anoréxica, é muito fácil convencê-las de que elas são mesmo tolas e teimosas. Um dos pontos centrais da anorexia é a tendência a agradar e condescender com as expectativas dos outros. A anorexia costuma ocorrer quando essa atitude se torna incompatível com a verdadeira maturidade e autonomia. É o fracasso em avaliar as reais necessidades de seu próprio eu e diferenciá-las nitidamente das necessidades de outrem que constitui o prenúncio da investida dos sintomas de rebeldia. As jovens que concordam rapidamente com um programa de realimentação, e negam seus próprios conflitos internos agindo assim, estão na verdade substituindo a solução anoréxica por outra bastante semelhante. Negam o que sentem quanto a ficar mais gordas e concordam com o que lhe dizem ser sensato. Desconfiam, portanto, de seus sentimentos em relação à comida e ao peso e os consideram totalmente sem importância — tolices que devem ser enterradas e esquecidas. Na verdade, são questões que precisam ser reconhecidas e trabalhadas em relação aos outros aspectos da vida feminina.

Há ainda um outro motivo para se desconfiar das mulheres anoréxicas que aprendem a cooperar com as expectativas do hospital. É que algumas delas, quando internadas, criam um padrão alimentar cíclico que implica ingerir grandes quantidades de comida e em seguida passar muito tempo sem comer, às vezes também provocando o vômito — síndrome referida como "bulimia" ou "bulimarexia". Num grupo recentemente formado para atender mulheres que desejavam especificamente trabalhar o problema de comer demais e depois induzir o vômito, descobrimos que sete entre nove delas haviam anteriormente sido hospitalizadas para tratamento da anorexia. Todas haviam obedecido a um regime alimentar rígido, mas o fizeram a custo de não terem realmente aprendido e compreendido suas próprias necessidades em relação à comida. Elas começaram a comer grandes quantidades de comida antes de chegarem a um acordo quanto à questão do autocontrole e da independência. Elas se alimentavam bem no hospital, onde os outros controlavam as refeições, mas ao receberem alta viam-se incapazes de decidir o que precisavam e queriam comer. Caíram, portanto, numa armadilha que as fazia continuar a comer tudo o que estivesse à sua frente. Mas, é claro, ainda se sentiam dominadas pela antiga obsessão anoréxica com a magreza; engordar continuava feio, odioso e repugnante. Que escolha tinham, portanto, se o ato de comer fugira-lhes totalmente ao controle, mas estava ao seu alcance tentar por todos os meios não engordar?

No caso dessas mulheres, a ênfase dada ao aumento de peso de forma alguma diminuiu suas convicções anoréxicas. Ao contrário, veio reforçar os sentimentos de desesperança e rejeição. Isso forçou uma condescendência com as idéias de outras pessoas sobre saúde e mergulhou as mulheres em dificuldades cada vez mais profundas.

Não se pode deixar de mencionar o papel dos pais no processo de hospitalização. Para eles, este pode ser um dos aspectos mais difíceis e dolorosos de todo o problema. As mães, mais que qualquer outra pessoa, conseguem perceber que as filhas precisam de ajuda. Se estranhos às vezes se chocam diante da visão de uma mulher anoréxica definhando, para as mães o quadro chega às raias do insuportável.

Conseqüentemente, os pais, no início, são quase sempre favoráveis à internação das filhas. No hospital, pelo menos, sua vida estará a salvo e talvez haja ali ajuda para o confuso emaranhado de sentimentos que existe. Por outro lado, terão de suportar o impacto dos protestos da filha diante da perspectiva de ser hospitalizada. Muitas vezes são eles que têm que pressioná-la a fazer aquilo que ela considera inconcebível. Para eles, as dificuldades não terminam quando a filha é admitida no hospital. Quando a jovem passa a viver numa situação de nítido conflito entre si mesma e as pessoas que devem ajudá-la, as mães freqüentemente se vêem em meio a um fogo cruzado. Pai e mãe, compreensivelmente, começam concordando com os médicos e as enfermeiras, procurando incentivar a cooperação da filha anoréxica e esperando que as coisas se tornem mais fáceis para ela. Muitas vezes, conforme o tempo passa, as mães em particular começam a sentir cada vez mais pena das filhas. Elas, afinal de contas, podem compreender muito bem como a menina se sente quando engorda. Este fator, segundo minha experiência, pode causar profundas dificuldades no seio das famílias. Se a mãe "fica do lado da filha'', então ela está se opondo às tentativas que se fazem de ajudá-la; se apóia as autoridades médicas, ela não só vai entrar em conflito com a filha mas também se sentirá como se a estivesse abandonando. Esta situação é sempre muito triste. Freqüentemente o resultado é que os pais tiram as filhas do hospital ''contra a recomendação do médico''. Isso pode também ocasionar muitas divergências entre as mães e os outros membros da família. Se existe antagonismo entre a mulher anoréxica e as pessoas que cuidam dela, ainda segundo minha experiência, os pais nunca permanecem neutros. Invariavelmente participam, de uma forma ou outra. A única maneira de escapar ao conflito, e à conseqüente infelicidade das famílias, é tentar evitar, durante o tratamento, as situações em que se geram essas dificuldades.

Os pais, outros membros da família e os amigos devem estar sempre cuidadosamente informados acerca do tratamento a que se vai submeter a mulher anoréxica. Devem ser incentivados a discuti-lo com a equipe e a questioná-lo se não estiverem totalmente de acordo. Quanto mais se promover a franqueza e a livre discussão entre a paciente anoréxica, sua família e as pessoas que a estão ajudando, mais probabilidade há de que o resultado seja produtivo e positivo.

O uso de drogas

Não é raro que se receitem drogas psicotrópicas às mulheres anoréxicas hospitalizadas para recuperar o peso.

As mais usadas são as de efeito tranqüilizante; elas tendem a manter a mulher calma e aliviar parte da ansiedade que acompanha a ingestão de grandes quantidades de comida. Em resumo, diminuem sua resistência em engordar. Aplicando a análise sugerida anteriormente, as drogas tendem a dominar o lado da mulher que quer desesperadamente permanecer magro. Elas tratam dos aspectos de sua personalidade que as autoridades médicas definem como doentes. Segundo *ela*, as drogas enfraquecem seu lado forte. Reforçam nela a fraqueza, o sono e a preguiça. Na minha opinião, as drogas anulam temporariamente aquele lado da mulher anoréxica a que gostaríamos de ter acesso.

Não há dúvida de que os psicotrópicos podem ser considerados às vezes uma benevolência. A mulher gravemente desnutrida precisa comer para sobreviver. Por que não aliviar em parte sua ansiedade? As drogas não vão facilitar as coisas? Embora de certo modo isto seja verdade, é preciso não esquecer que os remédios têm efeito temporário. Nos momentos de lucidez, entre as doses, a mulher tem consciência e sofre por estar sendo induzida a uma coisa com a qual não concorda. Se nosso principal objetivo é ajudá-la a se alimentar adequadamente porque ela se valoriza suficientemente para isto, iniciar o processo induzindo um estado mental anormal pode, a longo prazo, ser contraproducente.

Não estou dizendo que as drogas não possam, às vezes, ser usadas para salvar uma vida; esta é uma outra questão. Acredito, no entanto, que a não ser nos casos em que se interna a mulher em verdadeira situação de emergência (e segundo minha experiência, estes são exceções e não a regra), deve-se consultar a paciente anoréxica quanto ao uso de drogas no seu caso particular.

Se você quer melhorar sua nutrição mas acha que talvez seu nível de ansiedade esteja muito alto, pode muito bem preferir as drogas para ajudá-la. Algumas mulheres, no entanto, preferem entrar na briga em perfeito estado de consciência. Pode provocar mais ansiedade, mas pelo menos elas observam a sensação de estar controlando o que fazem. O aumento de peso é um assunto eivado de conflitos para a mulher anoréxica. Mais cedo ou mais tarde, eles terão que ser enfrentados e resolvidos; as drogas apenas permitem que a mulher adie a resolução.

Costumava-se acreditar que a insulina era útil no tratamento da anorexia. Tenho conhecimento pessoal da sua utilização uns quatro ou cinco anos atrás. As mulheres anoréxicas me dizem que ela, às vezes, ainda é usada. Em princípio, acho isso errado. Seu único efeito sobre as mulheres anoréxicas (além de ocasionalmente deixá-las em coma) é aumentar o apetite. A anorexia não é um distúrbio do apetite. Este se desvirtua após um período prolongado de inanição, mas as pacientes que se recuperam são capazes de reconhecer que sentiram fome em várias ocasiões durante a fase anoréxica. A anorexia é uma tentativa de negar a fome e tudo o mais que ela supõe. Aumentar as necessidades físicas com drogas estimuladoras de apetite serve apenas para intensificar os conflitos da mulher em satisfazê-las. É mais provável que ela "capitule", sucumba à fome, sem que haja qualquer mudança radical em sua atitude, e continue inalterada sua falta de vontade de se alimentar.

Ouvi falar do uso de antidepressivos e até de eletrochoques no tratamento da anorexia. Talvez isso se dê porque os médicos reconhecem que a mulher anoréxica sofre de depressão. É mais provável, contudo, que este seja um distúrbio secundário; as pessoas anoréxicas quase sempre entram em depressão quando começam a engordar. E esta manifestação não é do tipo que desaparece com o uso de drogas ou outros procedimentos médicos. Não acho cabíveis tratamentos dessa natureza.

Como resumir as atuais tendências no tratamento da anorexia?

Sem dúvida, podemos dizer que se dá demasiada ênfase à hospitalização das mulheres com distúrbio anoréxico. Quanto aos recursos disponíveis, o desequilíbrio é muito grande. O tratamento em hospital é prontamente acessível, enquanto um aconselhamento a longo prazo é muito difícil de encontrar. Muitas mulheres são encaminhadas aos hospitais sem precisar passar por uma experiência tão sofrida, apenas por falta de alternativas.

Excetuando-se algumas poucas unidades progressistas, o tratamento hospitalar pouco mudou nas últimas décadas. Seus efeitos continuam potencialmente destruidores e criam dificuldades tanto quanto as solucionam.

Existem mulheres anoréxicas, e provavelmente continuarão a existir, que ficam sem se tratar durante tanto tempo que acabam precisando mesmo ser submetidas à realimentação. Para elas, a internação num hospital equipado para lhes dar os primeiros socorros em nutrição é o método inicial correto para o tratamento.

Acreditamos que o número dessas mulheres seria bem menor se o aconselhamento por pessoas hábeis e a psicoterapia estivessem amplamente disponíveis.

6

A RESOLUÇÃO DOS CONFLITOS

Montagem do cenário

Este capítulo é dirigido e recomendado a qualquer pessoa que tenha algum motivo para falar com uma anoréxica. Espero que ele contribua para a compreensão dos grupos profissionais que mais freqüentemente se vêem envolvidos com o assunto: os conselheiros, assistentes sociais, psicólogos, psiquiatras, clínicos, enfermeiras e professores. Mas espero também que ele seja lido pelas próprias mulheres anoréxicas e suas famílias. Elas, tanto quanto qualquer um, precisam conhecer métodos utilizados no tratamento de suas dificuldades que não sejam nem técnicos nem mistificadores.

Fiquei um pouco em dúvida sobre que nome dar ao tipo de tratamento que tenho em mente. Falar de "aconselhamento" implica um processo bastante direto e comum e que contém recomendações. O processo em que estou pensando não é nada disso. "Psicoterapia" me lembra psicanálise e sofá. "Terapia", sua forma reduzida, soa como "encontro" e o primitivo transbordar de sentimentos. O processo de descoberta, de esclarecimento e redefinição que parece tão útil para as mulheres anoréxicas não é comum nem misterioso. De fato, é ao mesmo tempo simples e complexo — porém, acima de tudo, é *claro*.

Decidi, portanto, referir-me aos "tratamentos falados" que quero descrever como "aconselhamento", "terapia" e "psicoterapia" — alternadamente. Se de nada mais servir, minha decisão talvez convença os profissionais das diversas disciplinas a não excluírem a possibilidade de trabalhar com mulheres anoréxicas devido ao nome que eles se dão.

Aqueles de nós que resolveram trabalhar com esse tipo de cliente têm problemas mais sérios a enfrentar do que o modo como vão ser chamados. O primeiro e mais importante deles é que talvez não tenhamos "clientes". As mulheres anoréxicas que vêm sendo tratadas, numa situação em que se focalizava mais o aumento de peso do que a terapia, aprenderam que tratamento significa serem forçadas a fazer algumas coisas e desistir de outras. O tratamento é sempre associado a algo desagradável e a uma luta entre vontades. As mulheres que tiveram essa experiência tornaram-se muito resistentes às "interferências". E é quase sempre como uma interferência que elas interpretam qualquer tentativa de fazê-las falar de suas dificuldades.

A ajuda é sempre percebida como uma tentativa de coerção. A mulher anoréxica aprendeu a lidar com isso; ela resiste, seja rejeitando ativamente ou parecendo obedecer, porém no íntimo sentindo que é ela quem tem razão.

Por isso, acho que o conselheiro terá mais sucesso se não entrar nos aspectos de realimentação do tratamento.[1]

No capítulo anterior comentei que os tratamentos nutricionais muitas vezes são feitos sem que se atente bem para o fato de eles serem ou não realmente necessários, ou provavelmente benéficos. Às vezes, um conselheiro não comprometido com uma instituição hospitalar pode representar uma alternativa preferível a se tentar antes. Se pudermos evitar as associações nocivas de tratamento e coerção, estaremos sem dúvida facilitando a tarefa de se lidar com os problemas reais. Se a mulher já estiver em tratamento de nutrição, é melhor que o conselheiro ou o terapeuta se mantenham afastados desse processo. Se o conselheiro é uma das pessoas que a alimentam, automática e corretamente será visto como participante do sistema coercivo no qual, como observamos, florescem os sintomas anoréxicos. Fica também mais difícil para a mulher em terapia ver os efeitos que sua recusa em comer causa nos outros e o sentido de sua própria insistência em ser coagida.

As mulheres que estão passando por uma fase anoréxica têm inicialmente muita dificuldade em aceitar qualquer tipo de ajuda; elas descobriram uma solução que, na sua forma meio estropiada, funciona, e não se sentem muito seguras em abandoná-la. Nosso objetivo, nos estágios iniciais do aconselhamento, é facilitar ao máximo para a mulher dizer "sim" à ajuda que vai receber. Segundo minha experiência, é muito mais fácil que ela aceite a ajuda terapêutica de alguém que não esteja envolvido num esforço de realimentação. Hilde Bruch discorda neste ponto[2] e prefere uma abordagem mais integrada. Talvez isso seja reflexo de sua própria experiência clínica num ambiente em que trabalha como terapeuta mas controla o programa de recuperação de peso. Se conseguirmos estabelecer uma situação de aconselhamento separada da nutrição, como devem os conselheiros tratar a questão do peso e de sua possível recuperação? Com o tempo desenvolvi uma forma, que considero útil, de lidar com esse problema. Costumo me referir a ela como sendo um "contrato".[3] De fato, seria mais bem descrita como uma definição de responsabilidades. Eu, como conselheira, não quero, não sou mesmo capaz de assumir a responsabilidade pelo bem-estar nutricional de minha cliente. Ninguém pode garantir que um outro ser humano adulto se alimente em quantidades adequadas. Se minha cliente deseja trabalhar comigo tentando entender a verdadeira natureza de suas dificuldades, deverá manter pelo menos um mínimo de alimentação saudável. Se a qualquer momento ela sentir que não pode fazer isso sem ajuda, então deverá procurá-la. Caso ela precise se internar num hospital para se manter suficientemente bem para continuar a terapia, ela deverá estar preparada para isso também. Nada mais me é consentido além da própria situação terapêutica. O único poder que tenho é a possibilidade de interromper a terapia se sua magreza se tornar drástica e ela ficar doente demais para aproveitá-la. O interessante é que, durante os sete anos em que usei este método, nunca precisei tomar essa decisão. O "contrato", ou divisão de responsabilidades, é em si mesmo um indicador terapêutico. O que estou afirmando é que seu corpo é responsabilidade dela e de ninguém mais. Ele não me pertence, e nem tenho jurisdição sobre ele, o qual não será objeto de uma disputa entre nós duas. Nas famílias, às vezes, considera-se o corpo das crianças responsabilidade e território de suas mães. Uma das reivindicações anoréxicas básicas é que ela e ninguém mais pode controlar essa teimosia. Demasiadas vezes os tratamentos tradicionais desafiaram seus direitos e reafirmaram o controle que eles detinham sobre seu corpo. A reação é de se prever; ela bate o pé, externa e internamente, e constrói suas próprias barreiras. No aconselhamento, é preciso transmitir às mulheres em fase anoréxica que existe um motivo bom e justo para que elas mesmas cuidem de si. Isso não deve ser feito para satisfazer os desejos e necessidades dos outros, mas porque o corpo é parte da mulher e merece ser alimentado tanto quanto seu espírito. É tarefa sua proporcionar esse alimento e, embora isso não seja muito fácil, ela terá ajuda se precisar.

Esse tipo de acordo estabelece a base correta para o início de uma situação terapêutica. Permite à cliente manter o controle daquela área tão preciosa para ela, porém a faz totalmente responsável pelo que está fazendo. Indica também que a terapia é algo precioso, que ela terá que se esforçar muito para conservar. O terapeuta poderá se solidarizar com sua luta para manter o peso, mas não o fará por ela, nem forçará a cliente a fazê-lo. Esse acordo é válido também para o conselheiro. Um dos aspectos mais difíceis do trabalho com mulheres anoréxicas é o desejo do terapeuta de resolver os problemas para a cliente, de salvá-la, em última análise, de comer por ela. Tudo isso, além de ser impossível, é perigoso. O objetivo do aconselhamento é tornar a mulher capaz de cuidar de si mesma. É bom que nos lembremos, desde o início, dos limites do nosso poder. Enquanto afirma que o peso é responsabilidade da cliente, o conselheiro deve ter o cuidado de admitir que ela será capaz de recuperá-lo quando e o quanto for necessário. Na verdade, é bom deixar claro que isso não é uma expectativa.

Uma mulher, referindo-se a uma experiência terapêutica anterior, observou: "Ele só dizia: 'coma, engorde'. É o mesmo que dizer para você ir embora, resolver o problema e depois voltar".

Os primeiros passos

Se o enfoque da terapia não é a recuperação do peso, como proceder então? Como atrair a cliente no processo partilhado de desemaranhar o passado e tornar o presente um território menos confuso de se habitar?

A tarefa inicial é fazer com que ela seja capaz de dividir suas próprias percepções da vida, não importa qùão confusas e indistintas elas possam ser. É importante lembrar que essa talvez seja a primeira oportunidade que ela teve de tentar fazer isso. Tradicionalmente, os terapeutas têm dito às mulheres o que fazer. Por sua vez, eles esperam ouvir algo a respeito das tentativas dela de fazer o que lhes recomendaram. Nos hospitais, ninguém se interessa pelos aspectos "anoréxicos" da experiência feminina — só pelas suas tentativas de superá-los.

São vários os motivos pelos quais é vital para ela nos dizer em detalhes como é o seu mundo. Ela precisa saber que compreendemos como é terrivelmente difícil sua vida. Só pode ter certeza disso, se foi ela mesma quem nos contou. Ela não pode admitir que compreendemos o tormento constante que se origina da contínua preocupação com a comida. Ela supõe que não compreendemos como todos os seus relacionamentos se deturparam, como ela se sente levada a enganar as pessoas que cuidam dela, como permanecer magra é assustadoramente mais importante do que qualquer uma dessas pessoas. Ela acredita que não podemos compreender isso porque espera ter um relacionamento distorcido também conosco. O fato de o conselheiro ser capaz de aceitar tudo isso sem choques nem surpresas, com espírito de solidariedade, é quase uma revelação. Os conselheiros devem ser bons ouvintes. As mulheres, em geral, são muito sensíveis diante de sua platéia. "Captamos" intuitivamente quando não nos ouvem. As mulheres anoréxicas são muito sensíveis às reações dos outros. Até ocorrer o episódio anoréxico, elas viveram sabendo "intuitivamente" o que os outros esperavam, pensavam e sentiam. Na verdade, não é difícil ouvir o que elas têm a dizer com real interesse e simpatia. Isto é, se o conselheiro puder esquecer sua necessidade de desafiar, criticar e mudar prematuramente a vida de sua paciente. Se as mulheres fossem capazes de abandonar os sintomas devastadores da anorexia apenas porque discutimos com elas, não haveria necessidade de conselheiros!

Comenta-se muito que as anoréxicas falam sempre as mesmas coisas. É verdade — mas só durante os primeiros minutos. A preocupação com o peso e a comida é universal, assim como o medo de perder o controle, de comer e ficar horrivelmente gorda e inchada. Mas, além disso, se estimuladas a compartilhar uma versão mais detalhada de seu mundo, é possível encontrar uma rica variedade de sentimentos, percepções e coisas confusas.

A imagem que uma cliente tinha de si mesma como um "rapaz pré-rafaelita" nunca teria se revelado se ela não fosse incentivada a falar minuciosamente de seu "estado anoréxico". Outra cliente foi capaz de descrever seu desejo de ser apenas um ratinho-do-mato, dormindo o dia inteiro todo enrolado, recebendo o carinho da mãe e sem que ninguém esperasse dela coisa alguma. As imagens do rapaz pré-rafaelita e do ratinho são pontos de referência úteis no processo de recuperação; tanto o cliente como o terapeuta sabiam exatamente o que estava sendo abandonado.

A mulher anoréxica precisa ser capaz de nos enfrentar com sua ambivalência quanto ao tratamento e à recuperação. Conforme descrevi no último capítulo, ela às vezes começa a terapia cheia de hostilidade e determinada a não se deixar afetar — pelo menos não no sentido de mudar sua atitude em relação ao próprio corpo. Às vezes elas se apresentam passivas e com remorsos de estar causando tanto trabalho. Vêm cheias de promessas de que não serão "casos difíceis" e que realmente tentarão comer. Nenhuma dessas formas de apresentação adianta alguma coisa ou representa um quadro global. A pequena anoréxica desolada e cheia de boas intenções está negando o lado de sua própria experiência que a faz agarrar-se à anorexia como a uma tábua de salvação. A anoréxica hostil e intocável nega exatamente o que a levou para a terapia: o desejo desesperado de se livrar de suas compulsões e ficar em paz. É impossível trabalhar só com meia mulher. Para dar continuidade à terapia, é preciso desde o início fazer com que a mulher seja capaz de falar dos dois aspectos de sua experiência. O conflito entre "sarar" e permanecer "doente" deve ficar bem claro entre a mulher anoréxica e seu conselheiro. No início não há como resolver esses desejos conflitantes, deve-se apenas reconhecê-los e permitir que coexistam. Algumas anoréxicas, assim que procuram a terapia, estão bastante dispostas e capazes de reagir à oportunidade de falar e ser ouvidas. Outras se sentem muito confusas e inicialmente desconfiadas para conseguir falar de si mesmas sem ajuda. Com clientes assim, o terapeuta deve estar preparado para no começo fazer a maior parte do trabalho. Precisa reconhecer que "falar sobre isto" é muito difícil. Às vezes, as mulheres que vêm pedir ajuda acham que o que queremos é um relatório completo de seu histórico médico. Na verdade, o que realmente desejamos é compreendê-las como pessoas. Mas a mulher num estado muito prolongado de anorexia pode ter perdido toda a noção de si mesma como tal. Todos os seus sentimentos podem ter submergido na preocupação com a comida e na maneira de evitá-la. Nestes casos, é preciso trabalhar muito para que ela possa voltar a pensar em si mesma e se considerar seriamente mais do que um corpo magro. Às vezes acho bom compartilhar com ela o que eu compreendo como a verdadeira natureza da difícil condição anoréxica.[4] Poderia dizer que acho que jovens como ela têm uma idéia a seu próprio respeito muito ruim, na verdade são inseguras e não gostam muito de si. Se ela se mostra deprimida e infeliz, posso me apegar a isso e perguntar-lhe se meu palpite de que ela não é feliz está certo. Ela vai me dizer como se sente?

O motivo de oferecer estas indicações *não* é fazê-la acreditar que sei exatamente como se sente, mas sim ajudá-la a entrar no processo de identificação de seus próprios sentimentos para poder me contar.

A chave para esta abordagem é a delicadeza e a paciência. Qualquer atitude rude, impositiva ou "esperta" do terapeuta vai assustá-la. Todas as contribuições dela são valiosas. Se ela diz que não sabe como se sente, não é hora de o terapeuta se mostrar desapontado. Ao contrário, ele deve se mostrar interessado por este "não saber". Afinal de contas, viver deve ser muito confuso e difícil se não sabemos como nos sentimos.

Esse tipo de abordagem inicial geralmente funciona e no fim da primeira sessão podemos estabelecer um objetivo e um interesse em comum — o de, juntas, compreendê-la melhor.

A descoberta dos problemas — terapia contínua

Pode-se resumir o processo de recuperação de uma fase anoréxica como aquele em que a mulher se encontra. A tarefa do conselheiro pode ser vista como a de alguém que a ajuda nessa descoberta.

Não é ele que encontra a mulher — um erro que muitos cometem —, é ela que tem que se ver.

Essa compreensão tem implicações na eficiência do terapeuta em trabalhar com mulheres anoréxicas. Alguns modelos de terapia, em particular aqueles baseados na psicanálise, contam com a sabedoria e o conhecimento teórico do profissional, partilhados com a cliente, para gerar a mudança. O papel do terapeuta é ouvir a cliente e depois trabalhar com o material que ela apresenta, interpretá-lo e devolvê-lo transformado. Essa técnica funciona muito bem em certos casos. Contudo, ela não é muito útil no trabalho com clientes anoréxicas, pelo menos não até que a terapia esteja bem avançada, quando grande parte de seus fundamentos já tiver sido vista.

As mulheres anoréxicas se sentem impotentes e ineficientes. Se lhes dizemos o que *realmente* a sua vida significa, estaremos encorajando-as a persistir na crença de que são incompetentes.

Um exemplo. Ruth chegou dizendo que tinha se aborrecido com uma colega porque achava que esta a havia ignorado, cortando-a da conversa. "Não compreendo por que ela me odeia tanto", foram as primeiras palavras que disse. Ruth é uma moça inteligente e bonita que cresceu com a noção de não ter talentos naturais ou boa aparência, e tendo sempre que lutar para se manter um passo adiante do resto da turma. Sentia que se relaxasse por um só momento passaria para o último lugar e todos a rejeitariam. Sua profunda insegurança acerca de si mesma e de seu próprio valor a levaram a tomar uma atitude defensiva e um tanto petulante em relação ao mundo. Ela preferiu adotar uma postura de superioridade e de menosprezo e jamais revelar aos outros sua necessidade de ser cuidada e apreciada por eles.

Se a terapeuta tivesse tentado, nesse estágio, explicar o incidente nos termos da própria atitude de defesa de Ruth, esta não só teria concluído: "Então é por isso que minha amiga me odeia tanto", mas também não teria outra opção a não ser defender-se das explicações negando-as. Ao invés disso, ela foi convidada a examinar melhor o incidente, a descrever o que tinha acontecido, a pensar nos seus próprios sentimentos na hora e a considerar suas reações. Ela havia obviamente achado impossível aceitar a outra menina na conversa com um sorriso simpático. Por que isso era tão difícil para ela? Ruth achou o processo de reconstruir a situação muito difícil e perturbador. Precisou da compreensão e do apoio da terapeuta. Finalmente deixou escapar: "Tenho medo de ser agradável com os outros. E se ainda assim eles não gostarem de mim?". A partir daí, Ruth foi capaz de um progresso vagaroso porém correto no sentido de mudar e adaptar seu relacionamento com as pessoas. Conforme ela ia perdendo a rigidez e começava a revelar aos poucos suas próprias necessidades, teve um retorno mais positivo e passou a se sentir uma pessoa mais agradável.

Grande parte do trabalho realizado com mulheres anoréxicas é assim: detalhado e cansativo. Tanto o terapeuta como a cliente precisam de muita paciência. Mas, na realidade, não existem atalhos. As tentativas de falar com a cliente sobre ela mesma, de lhe explicar seu próprio comportamento, serão consideradas invasão e ofensa. Serão, portanto, rejeitadas. Essa atitude pode ser declarada — ela nega a versão dos acontecimentos dada pelo terapeuta — ou a cliente concorda passiva, educadamente, o que faz o conselheiro perceber que sua sabedoria não passou da superfície.

É importante que os conselheiros compreendam que suas interpretações são rejeitadas porque são *ofensivas*. Se a anorexia é uma tentativa de afirmar a autonomia, de encobrir uma falta de identidade e ao mesmo tempo de descobrir uma, não vai adiantar nada tornar a ouvir quem você é e quem poderia ou deveria ser. A anorexia também representa uma espécie de tentativa de auto-suficiência. É a afirmação de que ninguém é necessário nem terá permissão para entrar. Se o conselheiro quiser pular o muro, será repelido.[5]

No caso de Miranda, fiquei particularmente surpresa como até minhas reflexões mais delicadas e respeitosas pareciam ofendê-la e irritá-la. Se ela descrevia uma situação em que estivera nitidamente infeliz e constrangida, minhas tentativas de focalizar esse desconforto, ou mesmo de ser solidária, resultavam numa negativa polida mas firme de que não era assim que ela havia se sentido. Um dia, durante uma sessão, Miranda descreveu um diálogo que tivera recentemente com a mãe. Disse que tinha se desculpado com toda a educação por não ficar mais tempo com uma de suas amigas que ela achava cansativa. Depois, comentou com ela: ''Espero que você não ache que fui indelicada''. A resposta foi: ''Está tudo bem. Sei que as situações sociais são difíceis para você''. A primeira observação que Miranda me fez foi que a mãe era uma pessoa muito compreensiva. Na seqüência da investigação, ficou claro que a interpretação da mãe estava errada. Miranda não tinha dificuldades para enfrentar as situações sociais. Pelo contrário, o charme social não era uma de suas deficiências. Longe de compreender, a mãe de Miranda interpretara mal. Miranda não tivera dificuldades, estava entediada! O interessante é que nem mesmo em pensamento ela desafiou aquela explicação. A mãe estava certa. A contínua experiência de ser mal-interpretada, sem qualquer percepção do que estava acontecendo, tornava-lhe quase impossível aceitar minha ajuda no sentido de encontrar sua própria definição de si mesma. Quase sempre, quando explicamos às mulheres anoréxicas seu comportamento, estamos apenas repetindo e reabrindo uma ferida antiga.

Após nossa cuidadosa reinterpretação daquele diálogo, e de muitos outros semelhantes, ela foi capaz de lidar melhor não só com a mãe, mas comigo também! Tornou-se menos receosa de que, tentando entendê-la, eu a interpretasse mal e a destruísse.

A tarefa da terapia ou aconselhamento é, mais que tudo, a de traduzir os sintomas da anorexia segundo a realidade e as minúcias do cotidiano. A mulher que luta para manter o controle sobre seu tamanho e sua forma física, para continuar responsável pelo que come a fim de que isso não a subjugue, está tentando desesperadamente, num outro nível, afirmar um certo tipo de controle sobre a própria vida. A mulher que teme sua necessidade e seu desejo de comer e de ter as coisas boas e confortáveis da vida está, de uma outra forma, com medo de que seus próprios anseios, necessidades e sentimentos sejam insuportáveis para si mesma e para os outros. A necessidade de ser A Magérrima, conseguir o corpo perfeito quando as outras mulheres falham, indica uma busca de perfeição mais profunda e ampla a que é levada pela insegurança. Ela não consegue avaliar suas conquistas mais realisticamente do que pode julgar seu físico. Vive com medo de que descubram sua incompetência. A dificuldade de se trabalhar com mulheres assim está na gravidade mesma de seus sintomas. Ela não pode perceber os problemas reais que se escondem por trás da sua obsessão com a comida e com o peso, porque os sentimentos que surgem daí são tão fortes que obscurecem tudo o mais.

Segundo minha experiência, tentar resolver esses problemas teoricamente não adianta. Podemos fazer com que a mulher concorde que essas sejam suas "verdadeiras" dificuldades, mas se não pudermos trabalhar juntas naqueles aspectos de *sua* vida em que elas estão realmente evidentes, o esforço não terá muito sentido. Isso significa que precisamos ouvir e aguardar. Às vezes, as questões que temos que explorar apresentam-se de uma forma bastante oculta e opaca.

Allison me parecia uma jovem bastante madura e competente para seus 17 anos. Suas dificuldades com a alimentação vinham ocorrendo há cerca de um ano e meio, mas tinham piorado nos últimos meses, e em pouco tempo ela emagreceu muito. Ela começou provocando o vômito depois de comer e, sentindo-se culpada, confessou que às vezes ficava bastante deprimida. Não sabia como tudo isso acontecera. A família a descreveu como muito "prestativa". Ela se sentia a preferida, principalmente pelo pai, embora este tivesse sempre o cuidado de não lhe dar mais atenção do que aos dois irmãos. Saíra-se muito bem nas provas finais do colégio e, embora não fosse considerada brilhante, todos e até ela acreditavam que se continuasse a se esforçar poderia fazer um curso superior sem dificuldades. Ela me disse que ia ser professora primária. História e geografia eram suas matérias preferidas, mas acreditava que estaria mais bem adaptada ensinando várias matérias para as crianças menores. Ela tinha experiência no trabalho com os pequenos?, perguntei. Sim, ela participara de um programa de recreação para crianças do bairro durante as férias e ocasionalmente ajudava as professoras de uma escola maternal. Diante disso, ela me pareceu uma pessoa bastante responsável e sensata, que tinha a vida muito bem-planejada! Foi quando lhe perguntei se gostava de trabalhar com criancinhas que ela começou a ficar confusa. Eu disse que às vezes as achava um bocado chatas. Allison parecia intrigada. Não era uma questão de *se* ela gostava do trabalho; nem mesmo tinha pensado nisso antes. Falamos dos amigos. Por que ela escolhia para amigas umas garotas e não outras? Novamente o olhar intrigado. Allison não escolhia as amigas; esperava ser escolhida. O que ela gostava especialmente em geografia e história? Na verdade, ela nunca pensara nisso também. Disseramlhe que era boa nessas matérias, então elas as *fez*.

Ali estava uma jovem cuja vida realmente estava fora de controle. Corria tudo bem, mas ela não estava no leme. Tudo estava muito bem-planejado, mas por quem? O único aspecto de sua vida que ela podia controlar era sua figura. A magreza era uma conquista própria. Ela lutara muito por isso e não desistiria antes de ter feito progressos em outras áreas. Finalmente, ela desistiu de se preparar para a faculdade, passou mais ou menos um ano numa série de empregos temporários e acabou se decidindo pela profissão de enfermeira. A última vez que soube dela estava trabalhando numa equipe, mas prestes a se "aposentar" temporariamente para ter o primeiro filho.

A história de um sucesso, talvez. Mas não foi tão simples como fiz parecer. No processo de definição e descoberta de sua própria identidade, Allison tornou-se uma jovem muito mais assertiva e "difícil". A família ficou muito preocupada e queria honestamente compreender o que estava acontecendo com ela. Mas ficaram horrorizados com sua idéia de desistir dos estudos e abandonar a carreira planejada. Eles mesmos precisaram de muita ajuda nessa situação. Finalmente, depois de muita tristeza, a mãe decidiu: "Eu realmente não entendo, mas se Allison precisa de tempo para escolher por si mesma, ela o terá. Eu nunca tive".

Parece fácil. Mas para uma família que normalmente nunca se permitiu a liberdade de cometer erros, não foi mesmo.

Às vezes, os próprios sintomas anoréxicos, ou suas conseqüências, representam um papel muito importante na vida da mulher. ''Ser anoréxica'', por exemplo, resulta num bom motivo para não se ir a festas ou reuniões. Nesse caso, é preciso ajudar a mulher a avaliar se *quer* ou não freqüentar festas naquele momento. Descobri, num número surpreendente de casos, que ela não quer. Estas ocasiões sociais são sempre vistas como situações tensas e difíceis. ''Ficar boa'', portanto, implica voltar a essas obrigações que ela dispensa. Até aprender a dizer ''não'' aos convites desagradáveis, vai precisar de um sintoma que o faça por ela. Isto faz parte do processo de assumir o controle da própria vida.

Descobri ainda que o papel dos sintomas é particularmente notável na vida das mulheres cuja manifestação mais importante é o vômito provocado depois de comer. Esta síndrome é muito conhecida como ''bulimia''. É um sintoma que pode consumir muito tempo. Algumas mulheres passam horas e horas todos os dias comprando e comendo comida. O ciclo segue até o vômito induzido e se completa com o ritual de limpar o banheiro e jogar os restos de comida no lixo. Costuma terminar com a mulher adormecendo, exausta. A questão importante aqui é: o que ela faria com suas tardes se não fizesse isso? Claro que a resposta é que os sintomas a impedem de decidir o que fazer com seu tempo livre ou não estruturado. Até que ela seja capaz de olhar bem de frente o problema, enfrentar seus próprios sentimentos de solidão e alienação quando está sozinha, será muito difícil que ela desista de fazer isso. Acredito que preencher um tempo vazio é o problema da maioria das mulheres que sofrem de distúrbios da alimentação. Desconfio mesmo ser esse o problema de muitas de nós. Como mulheres, geralmente não nos ensinam a ser donas do nosso tempo. Tradicionalmente, nosso tempo, mesmo o de lazer, é interrompido para atender às necessidades dos outros. Chegar às lojas antes que fechem, pegar as crianças no colégio e, é claro, colocar a comida na mesa ''na hora''. Quando fogem desses papéis tradicionais, muitas mulheres experimentam um medo real diante da perspectiva de um tempo sem interrupções. Preocupar-se com a comida ajuda a encher os espaços livres e a determinar os diferentes momentos do dia. A mulher bulímica consegue enfrentar suas dificuldades em relação ao tempo passando grande parte dele absorta em rituais que envolvem a própria alimentação, seguidos do inevitável processo de limpeza. A mulher anoréxica que se abstém de comer também se ocupa em grande parte com a comida, pensando, planejando o que comer e o que não comer, lendo tabelas de calorias (e, às vezes, até livros de receitas!)

Outro aspecto interessante e importante do distúrbio, especialmente no caso das mulheres bulímicas, é o sigilo que ele impõe. Quase sempre, as mulheres que habitualmente provocam o vômito fazem disso um segredo até para as pessoas com quem elas vivem. É preciso aqui considerar a possibilidade de que elas realmente precisam ter segredos. Será que elas acham as pessoas à sua volta intrometidas? O que mais há em sua vida que ela não partilha com ninguém? Antes de desistir desse sintoma, ela talvez precise desenvolver um outro aspecto "secreto" de sua vida que seja menos autodestrutivo. Ela tem que aprender que é perfeitamente correto ter uma parte de si mesma que ela não divide com ninguém. Surpreendentemente, muitas mulheres com quem trabalhei achavam que a necessidade de espaço e privacidade psicológica em si mesma era normal. Em particular, as mulheres casadas ou que vivem com alguém há muitos anos tendem a pensar que a necessidade de terem um segredo que não compartilham com o companheiro é sinal de que alguma coisa não vai bem com os dois. O sintoma anoréxico ou bulímico lhes dá o motivo para agir assim, mas disfarçado de "doença".

Fugir às situações desagradáveis, usar o sintoma para dizer "não", organizar o tempo e ter privacidade são apenas alguns dos possíveis papéis que os sintomas femininos representam na vida das mulheres. Nem todas elas se utilizarão deles desta forma. É de importância vital, contudo, considerar o que o sintoma está provocando, antes que ele possa ser abandonado.

Recuperação

Em que consiste a recuperação de um episódio anoréxico, e como consegui-lo? Como os processos que descrevi levam à "cura"?

Para responder à primeira pergunta, devemos deixar de lado a idéia de que o peso é um indicador confiável de progresso. Sem dúvida, é necessário que a mulher alcance um peso razoável e estável compatível com sua altura e constituição física, antes que se possa dizer que está curada. O peso em que ela finalmente se fixar pode ou não ser o mesmo de antes da anorexia. Ela talvez fique um pouco mais gorda ou mais magra. Isso não importa. Não existe peso ideal, e qualquer coisa que seja compatível com a saúde é adequada. O aspecto da recuperação que tem a ver com o peso pode ser descrito mais apropriadamente como uma desistência da compulsão de mantê-lo num nível artificial baixo. O ponto interessante e importante na recuperação de peso é que, segundo minha experiência, ela pode ser um dos últimos aspectos da cura a ser atingido e não um dos primeiros. Assim como a origem da anorexia não está na perda de peso, a cura do distúrbio também não está no seu ganho.

A anoréxica curada é alguém que tem a noção de ser responsável pela sua própria vida. É capaz de tomar decisões acerca de si mesma, com base na verdadeira percepção do que ela quer ou não. Ela tem amor-próprio e um sentido acurado de seu valor. Não é uma pessoa sem problemas. A vida é difícil. Ninguém pode ou deve viver evitando as dificuldades. A mulher que se restabelece de uma fase anoréxica está preparada para enfrentá-las e não simplesmente refugiar-se na busca de um ideal físico e espiritual.

Como o aconselhamento ou a terapia podem ajudar nessa mudança? A pergunta é difícil, porque o processo de recuperação difere de pessoa para pessoa. Devo confessar, também, que ela me pega quase sempre de surpresa. Tem acontecido muitas vezes de eu estar me sentindo "empacada" com uma cliente, e parece que, de um momento para outro, ela abre uma brecha que nos leva direto ao ponto de origem. Claro, a mudança não é realmente repentina. Meu enfoque é que era muito limitado. Estava achando seu padrão alimentar mais firme do que nunca e isto me dificultou ver que seu relacionamento com os colegas no trabalho tinha mudado e florescia em novas e excitantes formas, ou que suas relações com a mãe deixaram de ser o foco central de nosso trabalho. O último passo no abandono do sintoma anoréxico segue-se a esse esforço, não o precede.

Quando me surpreendi pela primeira vez com um aparentemente súbito restabelecimento, tornei a examinar o que tínhamos feito e concluí que estivera desatenta. Aos poucos, porém, comecei a ver que o elemento surpresa era regra e não uma exceção. Penso que há várias maneiras de se explicar isso. Quando a mulher começa a concentrar sua atenção e a minha nas dificuldades reais da vida, perde grande parte da sua antiga certeza quanto ao que está fazendo. Fica mais confusa, até desesperada, no desejo de manter o controle de seu corpo; afinal de contas, ela está começando a se arriscar no mundo real. É fácil confundir esse desespero com a regressão, ao invés de vê-lo como um progresso. Creio também que o passo final para a mudança de seu hábito alimentar é algo que é ela que deve controlar. Se abandonar os sintomas para me tranqüilizar, e não porque se sente capaz de viver sem eles, então o restabelecimento é suspeito. O terapeuta aprende mais uma vez que a vida é *dela* e que as coisas vão acontecer segundo o *seu* tempo.

A desistência do sintoma, ou melhor, o início de uma tentativa de desistir dele, não é, de forma alguma, o fim da história. É preciso lembrar que a anoréxica em processo de cura tem vivido num mundo de fome e renúncia, possivelmente há muito tempo. Jamais conheci uma anoréxica curada que não tivesse passado por um período de caos em relação à comida durante o processo de restabelecimento. Às vezes ele é curto e compreende o tempo em que ela tenta diferentes formas de alimentação e finalmente estabelece para si mesma uma certa orientação. Outras vezes, a experiência é mais prolongada e traumática, durante a qual ela se sente abandonada, sintoma bastante saudável dentre outros tão mais perigosos. O conselheiro deve estar preparado e ser capaz de reconhecê-lo tal como ele realmente é. A cliente entrará em pânico e achará que todos os seus piores temores quanto à perda de controle se realizaram. É importante que o terapeuta não faça o mesmo. Nossa tarefa principal nessa etapa é garantir que as novas dificuldades com a comida não se tornem permanentes. Devemos continuamente olhar adiante, mostrando seu êxito em controlar a comida, ajudando-a a analisar como ela conseguiu comer exatamente o que quis em determinada ocasião, mas muito mais do que ela quis em outra. Esta é uma nova e assustadora etapa na sua evolução. A anoréxica precisa de ajuda para enfrentá-la com o espírito de descoberta, como um processo de reaprendizado. O conselheiro deve trabalhar nesta nova fase exatamente da mesma maneira que vinha fazendo antes: ser solidário quando as coisas não derem certo, mas examinar em detalhes as situações reais para que elas sejam adequadamente compreensíveis e elucidativas. Este pode ser um dos aspectos mais difíceis na cura das mulheres anoréxicas. Por isso é tão cruel considerá-la "curada" após um programa hospitalar de recuperação de peso: se a deixarmos mergulhar sozinha na sua recém-descoberta liberdade para se alimentar, talvez ela acabe tendo problemas mais graves do que antes. Depois de um período de aconselhamento ou terapia, sabemos pelo menos que ela está basicamente preparada e orientada para lidar com essas novas dificuldades. Afinal, ela escolheu o momento de tentar.

Quando termina o aconselhamento?

Esta é outra pergunta difícil. Não devemos esquecer que não estaremos ali para ajudar a mulher a resolver seus problemas pelo resto de sua vida. Nosso trabalho é torná-la capaz de continuar fazendo isso por si mesma. Minha experiência indica que a terapia provavelmente deve terminar quando as anoréxicas começam a ter dificuldade para achar espaço para as consultas em suas agendas! Na verdade, um afastamento gradual costuma ser mais apropriado do que uma parada definitiva. A mulher pode precisar saber durante um certo tempo que nós estamos "lá" e disponíveis se *ela* decidir que necessita de alguma ajuda. Mas, particularmente no caso das pessoas muito jovens, não defendo a continuação da terapia além do que for realmente necessário. Não ajudaremos as jovens clientes se as encorajarmos a pensar que a terapia é um estilo de vida. Existem (ou deveriam existir) outras direções mais interessantes de se olhar do que para dentro.

A maioria das mulheres precisa trabalhar suas dificuldades pelo menos durante um ano, embora algumas levem mais tempo — talvez até quatro anos. É importante, por conseguinte, que os conselheiros, ao começarem o tratamento, reconheçam que estão assumindo um compromisso a longo prazo.

Prognósticos: os resultados do tratamento

As opiniões variam muito quanto ao número de mulheres que se recuperam da anorexia e as que não o conseguem. A dificuldade de se chegar a uma opinião mais uniforme está no fato de jamais podermos ter certeza de que estamos comparando casos iguais. O que um médico considera ''cura'' pode não satisfazer os critérios de outro. Nunca poderemos estar certos de que as mulheres que estão sendo comparadas tiveram dificuldades igualmente sérias. E também não temos idéia de quantas mulheres se recuperam espontaneamente ou com a ajuda dos amigos e da família, o que nunca consta das estatísticas. Ou quantas *teriam* se recuperado se lhes oferecessem um tipo de ajuda mais estável e compreensiva. São todas dúvidas impossíveis de se responder, mas é preciso ter presente essa falha de informação.

As evidências que temos podem parecer um tanto tristes e deprimentes — ouvimos tanto sobre mulheres que não se curam! E, no entanto, a maioria dos leitores provavelmente conhece diversas mulheres que conseguiram se recuperar — mas que nunca sentiram necessidade de falar sobre isso! Se tivéssemos acesso ao quadro completo do que acontece com as mulheres depois de um episódio anoréxico, sem dúvida nos sentiríamos mais otimistas.

Tendo isto em mente, vamos voltar agora para os diversos resultados possíveis.

A morte é uma conseqüência comparativamente rara, talvez apenas devido ao fato de que a maioria das mulheres tem alguém em sua vida que toma medidas eficazes para evitar que isso aconteça. Num episódio agudo de anorexia, algumas mulheres, embora nem todas, morrem de inanição se não forem impedidas disso. Não é que elas desejem realmente morrer. Elas simplesmente não acreditam que tal coisa possa acontecer.

Mas, ainda assim, creio que a morte por suicídio é um risco maior do que a resultante das conseqüências físicas do distúrbio. Para muitas mulheres anoréxicas, os sentimentos suicidas costumam surgir no período que se segue à recuperação forçada do peso, quando se sentem consternadas com a nova forma "gorda" que assumiram, não sabendo mais como viver com ela e, além do mais, achando seus hábitos alimentares caóticos e incontroláveis. Esta é certamente uma época de grande vulnerabilidade. A anoréxica sem um apoio vai tentar lidar com essa dificuldade voltando a emagrecer (motivo pelo qual os métodos tradicionais de tratamento apresentam um alto índice de reinternações). Se ela não conseguir manter "sob controle" sua alimentação e voltar a perder peso, se sentirá deprimida e desesperada o bastante para tornar o suicídio uma possibilidade real.

Uma segunda conseqüência possível, e muito mais comum, é a cura parcial. Isso significa que ela engorda o suficiente para se manter viva, mas então conserva o peso em um nível artificialmente baixo, às vezes durante anos. Embora em geral consiga fugir do tratamento hospitalar, sua vida continua dominada pelo desejo de evitar comer. Ela talvez consiga trabalhar, mas terá pouco tempo, energia ou inclinação para qualquer tipo de vida social. Sua vida se torna cada vez mais limitada e introvertida. Esta é uma forma de anorexia crônica. Quase sempre se origina de uma experiência humilhante e inútil num hospital. A única coisa que a mulher aprendeu com isso é que fará de tudo para não voltar. Este grupo de mulheres é particularmente difícil, mas não impossível, de se trabalhar num aconselhamento.

Outro resultado altamente indesejável é o da mulher cuja "vontade anoréxica" foi dobrada por uma experiência severa demais num hospital e que aprendeu a controlar o peso provocando o vômito. No início, isto lhe parece a solução mágica. Na verdade, ela apenas substitui um conjunto de sintomas por outro e está longe de descobrir a origem de suas dificuldades reais.

O quadro, contudo, não é tão deprimente como parece. Quase todos os especialistas na área relatam que a maioria das anoréxicas se recupera.[6] Um dos aspectos inquietantes desses relatórios é o daquelas que se recuperam o suficiente para serem capazes de viver de forma criativa e independente; um número significativo de mulheres conserva ainda alguns traços de sua maneira de pensar como anoréxicas e continuam bastante preocupadas com a comida e o peso. Sheila MacLeod[7] descreve assim sua própria situação em *The Art of Starvation*. Na época em que ela escreveu o livro, embora "curada" em quase todos os sentidos da palavra, seu peso continuava uma fonte de ansiedade, e parece que ela se sentia de alguma forma vulnerável a um outro "ataque" de anorexia, se a vida se tornasse particularmente difícil. É devido a experiências como a de Sheila que se diz às vezes que ninguém realmente se recupera da anorexia; que uma vez anoréxica, a mulher sempre se preocupará e terá dificuldades com a alimentação, não deixando nunca de estar propensa a uma recaída.

Sinto-me satisfeita de poder dizer que isso não é verdade. Já constatei que com a solução dos problemas que a levaram à experiência anoréxica, a mulher torna-se invulnerável a outros episódios e não é mais neurótica em relação à comida do que qualquer outra pessoa!

Não é difícil perceber o porquê disso. A anorexia é um sintoma que só pode se desenvolver na mulher que não tem autoconfiança e que não descobriu uma maneira confortável e realista de estar no mundo. É uma mulher que não consegue pedir a ajuda e o apoio de que precisa e que se acha incompetente se não puder, sozinha, alcançar a perfeição. A anoréxica recuperada, por sua vez, é capaz de se sentir à vontade no mundo, avaliar-se de forma realista e desistir da sua necessidade de estar só e ser perfeita. Curiosamente, as anoréxicas curadas são pessoas maravilhosas. Esta não é uma experiência que as deixe insensíveis. Para muitas, essa conquista é um objetivo real de crescimento. Não digo que jamais voltarão a ter dificuldades. Mas acho que elas não tentarão resolvê-las desta forma particularmente estéril e autodestrutiva.

7

RECONHECIMENTO E AÇÃO

Em todas as páginas deste livro tive o cuidado de evitar os conselhos. Estou convencida de que se uma pessoa está passando por um episódio anoréxico agudo, a última coisa de que ela precisa é que lhe digam o que fazer, o que pensar ou como compreender as coisas. Com muita freqüência, porém, pessoas que não conheço pessoalmente me pedem isso, muitas vezes pelo telefone. Dizer: "Não dou conselhos" não basta nessas ocasiões, e neste estágio do livro acho que também não.

Tentarei, portanto, dizer alguma coisa útil a vocês que pensam estar sofrendo de anorexia. Os comentários serão necessariamente bastante generalizados porque não *as* conheço. E lembrem-se de que, no seu caso particular, posso estar errada!

Se você está, ou pensa que está, sofrendo de anorexia é de vital importância obter ajuda enquanto o distúrbio ainda está no início. É muito mais fácil trabalhar com o problema nesse ponto, quando as chances de êxito são consideravelmente maiores e provavelmente ele será alcançado em menos tempo.

Você não pode contar com seus pais, professores ou amigos para que reconheçam que você está com dificuldades. Talvez eles já tenham percebido o problema, mas a não ser que você possa ver que está em apuros, eles podem fazer muito pouco. O importante na descoberta e no reconhecimento precoces da anorexia é que *você* é que tem que descobrir que está precisando de ajuda.

Muitas vezes o problema não é que você não saiba que tem dificuldades, mas sim que tem medo de pedir ajuda.

A anorexia, como vimos, é uma tentativa de ser auto-suficiente.

É a negação de qualquer fraqueza e de todas as necessidades. Você, portanto, tem um problema entranhado. Admitir que não está enfrentando muito bem a vida é fazer exatamente o que o sintoma anoréxico procura evitar. Você pode estar se sentindo muito mal e infeliz, mas vai querer desesperadamente continuar com seus sintomas. Permanecer magra, ou quem sabe perder um pouquinho mais de peso, talvez seja o único motivo por que vale a pena viver. Às vezes, também, você pode ter ouvido umas histórias sobre internações em hospital, ser obrigada a ficar deitada e engordar. Amigos bem-intencionados podem tê-la ameaçado com essa perspectiva para assustá-la e fazer com que você se alimente melhor. A tentação é sempre a resistência em pedir ajuda, *por enquanto*. Continuar lutando mais um pouco, na esperança de que alguma coisa mude.

Mas se você acha que é anoréxica, a única coisa importante é reconhecer isto o mais *cedo* possível. Para encorajá-la a pensar com cuidado e tornar mais difícil que descarte a idéia, vou enumerar alguns indícios que você talvez reconheça em suas atitudes e algumas perguntas que pode fazer a si mesma.

Primeiro, quantos quilos você realmente perdeu? Qual o seu peso máximo? Quanto está pesando agora? Sei que estas perguntas parecem "cutucadas", mas talvez você se sinta tentada a minimizar sua perda de peso, e é preciso que saiba realmente a verdade.

Quando os outros se mostram surpresos e preocupados com sua magreza, como você se sente e reage? É capaz de ouvi-los e pensar a respeito disso? Ou a preocupação deles a coloca na defensiva e você se sente "apanhada"? Se é difícil encarar o que está acontecendo com seu corpo, pode ser indício de que você está com problemas. Uma parte sua sente talvez que você não devesse estar tentando emagrecer mais, porém uma outra parte nega-se a parar?

Sua menstruação foi interrompida? Este é um traço importante para o diagnóstico da anorexia. Não se sabe bem por que isso acontece, mas quase sempre as regras são afetadas logo no início, antes de se perder muito peso. É claro que diversos fatores, físicos e psicológicos, podem afetar o ciclo, mas sua interrupção, junto com o emagrecimento, deve fazê-la desconfiar que a causa pode ser a anorexia.

E sua atitude em relação à comida? Passa muito tempo pensando nela? O que na sua vida, agora, é mais importante do que evitar comer e controlar o peso?

Se o alimento parece um inimigo, se só consegue vê-lo como algo pernicioso para você, que a engorda e lhe rouba qualquer noção de controle, então sem dúvida você está infeliz e provavelmente, em certo sentido, anoréxica.

Como se sente depois de comer? Tem uma forte reação emocional? Quais são seus sentimentos? Culpa? Pânico? Uma sensação de fracasso? Sentir-se assim deve fazê-la duvidar que esteja tudo bem.

Se puder identificar alguns ou todos esses traços da anorexia e acredita que tem dificuldades nesse sentido, pense agora cuidadosamente se você pode se arriscar a deixar que o processo vá em frente. Ele não desaparece sozinho. Lembre-se de que quanto mais cedo começar a trabalhar suas dificuldades, mais fácil será.

Tente não dizer a si mesma que tem sido uma tola, que na verdade amanhã comerá de forma mais sensata. Você não é tola e não vai conseguir mudar pela simples força de vontade.

Procure não pensar na anorexia como um fracasso pessoal. Não é na verdade uma tentativa de lidar com seus próprios sentimentos e fazê-la sentir-se melhor?

Tente achar alguém de confiança com quem você possa falar. Alguém que a ouça. Pode ser um médico, um supervisor na faculdade, um amigo ou amiga mais velha, ou outra mulher que já tenha passado pela experiência da anorexia. É compartilhando, participando de relacionamentos e não procurando lutar sozinha, que a vida finalmente virá a se tornar melhor.

Como encontrar ajuda

Há muitos tratamentos disponíveis para mulheres anoréxicas hoje em dia. A maior parte, infelizmente, funciona em hospitais. Isto significa que você deverá se internar ou marcar consultas numa clínica para pacientes externos. Como discutimos antes, o tratamento feito em regime de internação tende a não ser o mais adequado para mulheres que reconhecem logo que têm dificuldades. Você também pode se sentir bastante resistente em aceitar as consultas psiquiátricas para pacientes externas. Portanto, encontrar o que realmente lhe serve talvez exija uma certa pesquisa.

Pode ser que você queira começar falando do problema com o médico da família, ou, antes, prefira entrar em contato com as organizações voluntárias elencadas no final deste livro.

Encontrar um conselheiro pode ser difícil. Vai precisar procurar e ser bastante persistente. Se quiser tentar um método de aconselhamento sem se internar num hospital, diga ao seu médico o que deseja. Alguns psiquiatras oferecem recursos muito bons para a terapia de pacientes externos, enquanto outros são menos hábeis nesse tipo de trabalho. Certas filiais do Marriage Guidance Council estão preparadas para trabalhar com mulheres anoréxicas. (Elas não trabalham mais apenas com casais.) Veja o que a filial mais próxima tem a oferecer.

Escolha. Peça o que você quiser.

Da mesma forma, se for aconselhável a internação, ou se você acha pouco provável conseguir manter o peso sem esse tipo de ajuda, descubra exatamente a espécie de serviço que determinado hospital oferece. Ele tem bastante experiência com seu tipo de dificuldade? Possui uma unidade especial para as pessoas com distúrbios alimentares? Qual a espécie de acompanhamento que você pode esperar quando sair de lá? Até onde você vai poder opinar acerca do que estiver lhe acontecendo? Consulte-se uma vez, mas não se sinta obrigada a aceitar tudo o que lhe oferecem. As organizações voluntárias indicadas mais adiante poderão apresentá-la a alguém que já se internou no hospital que você tem em mente.

Só quando as mulheres com distúrbios alimentares começarem a reivindicar o tipo de tratamento que desejam é que poderemos esperar que os recursos existentes mudem a fim de satisfazer suas necessidades.

Ajudar a si mesma

Com "ajudar a si mesma" não estou querendo dizer uma continuação da luta para tentar resolver seus problemas sozinha. Ao contrário, penso na possibilidade do trabalho conjunto com outras mulheres, num grupo onde se compartilham e trabalham os problemas em comum. Não há dúvida de que esse sistema pode ser bastante útil para algumas mulheres. Em particular, as que comem demais e depois provocam o vômito costumam se sentir bastante aliviadas ao lado de outras que fazem a mesma coisa.

De acordo com minha experiência, as mulheres que se vêem em meio a um episódio anoréxico agudo quase sempre sentem dificuldade de trabalhar em grupo. Isso pode aumentar a tensão, ao invés de aliviá-la.

A auto-ajuda é provavelmente o método mais produtivo, seja para as mulheres que se encontram nos primeiros estágios do distúrbio, que não se tornaram retraídas demais para não serem capazes de elaborar suas dificuldades, seja para aquelas quase recuperadas mas que ainda precisam de ajuda e apoio para continuarem na direção certa.

Embora útil, para muitas mulheres, ajudar a si mesmas provavelmente não será o bastante. Pode, entretanto, ser mais um importante meio de auxílio, utilizado junto com o aconselhamento individual, por exemplo.

Às mães e outros parentes, professores, amigos

Se você acha que alguém em sua família ou grupo social está sofrendo de anorexia, provavelmente está meio perdido quanto ao que fazer. A melhor maneira de avaliar se seus temores se baseiam ou não na realidade é pensar no que você sabe a respeito da atitude dela em relação à comida e ao peso em geral. Muitas mulheres fazem regime e emagrecem. Nem todas são, certamente, anoréxicas. Emagrecer, em si, pode significar várias coisas diferentes. A mulher talvez esteja sofrendo de alguma doença física. Quem sabe está deprimida e perdeu mesmo o apetite. Lembre-se de que a anorexia costuma começar com um emagrecimento acidental, devido a uma doença ou tristeza. Só se tornará anorexia nervosa se a mulher ficar "viciada" em perder peso e começar a usar isso como uma forma de resolver outros problemas.

Como saber se sua preocupação com essa jovem se justifica ou não? A pessoa normal que faz regime é capaz de falar de seu sentimento de privação por não poder comer o que tem vontade. Ela demonstra um interesse obsessivo pela comida, mas em geral é franca a esse respeito. Terá orgulho também de ser capaz de lhe dizer exatamente quantos quilos perdeu. A mulher anoréxica, ao contrário, vai responder com evasivas a respeito da sua magreza. Ela tende a subestimá-la. Nega que tem fome ou que gostaria de comer os alimentos a que resiste. Seu interesse pela comida é dissimulado, indireto. Ela mostra muito mais interesse pelo que você está comendo do que pelo pouco que ela mesma se permite comer.

As mulheres anoréxicas, ao contrário das que perdem peso por outros motivos, também tendem a adotar estilos de vida bastante austeros e autopunitivos. Parece que elas gostam de exagerar na ginástica, segundo os padrões da maioria das pessoas. Não se sentem muito atraídas pelas diversões e tendem a levar a vida de uma forma séria demais. Você pode observar se sua amiga ou parente mudou nesse aspecto, se ela não consegue mais se divertir como antes. Você pode também ver se ela recusa o conforto sempre que pode. Recusa uma carona, diz que prefere andar. Às vezes não se agasalha o suficiente quando faz frio, insistindo em que a temperatura não a incomoda. Pode se tornar menos sincera, mais retraída, talvez passe muito tempo sozinha. Os amigos, assim como a família, tendem a irritá-la e ela acha o relacionamento social estressante.

Se, depois de considerar tudo isso, achar que tem razão de estar preocupada com ela, diga-o.

Como você deve reagir?

Tantas vezes ouço esta pergunta vinda de mães preocupadas, que acho que devo tentar respondê-la, embora não acredite que existam regras, nem que haja realmente alguma forma de fazer o que é certo.

A primeira e a mais importante coisa a dizer é que você deve deixar de acreditar que vai poder curá-la.

Pais, professores e amigos podem às vezes ser muito *úteis* no processo da recuperação, mas os membros da família em particular costumam ser as pessoas menos indicadas para empreender essa tarefa sozinhas. O próprio fato de seu envolvimento tão próximo significa que sua ansiedade em relação à mulher anoréxica é muito grande. Esse tipo de ansiedade pessoal torna impossível que você assuma o papel de conselheiro dela. Você *pode* ser útil, mas não espere muito de si mesma.

Em seguida, é preciso tentar entender a situação do ponto de vista dela sem, é claro, precisar concordar com ele. Sua compreensão é importante porque significa que provavelmente você vai reagir de forma intuitiva às necessidades imediatas dela.

Tente lembrar-se de que ela não faz isso de propósito para preocupá-la. Você às vezes vai achar que sim.

Procure não insistir com a comida. Simplesmente não funciona. Por outro lado, se você ocultar totalmente que está preocupada vai criar uma situação bastante artificial.

A melhor maneira de ajudá-la é tentar fazer com que ela consiga estruturar sua autoconfiança. Ao mesmo tempo é preciso auxiliá-la a desistir em parte de seu perfeccionismo. Ela tem que saber que já é bastante boa assim como está.

Evite comentários como "Você era tão bonitinha, olhe só como está agora". Ou "Você percebe o prejuízo que está causando a sua saúde?". A cabeça dela já está cheia demais.

Não fique perguntando por que ela está fazendo tudo aquilo — mesmo que da maneira mais simpática. Tanto quanto você, ela não compreende o que está acontecendo.

E não fique o tempo todo se preocupando se está ou não falando o que não deve. Seria super-humano se não estivesse. Se acontecer de falar ou fazer alguma coisa que você ache que foi ofensivo, diga-o. Diga a ela que você, às vezes, acha difícil reagir de maneira positiva. Depois esqueça. Não continue se sentindo culpada. Você realmente não fez nada terrível.

Por último, uma palavra sobre os cuidados consigo mesma. Sei como as mães ficam muito, mas muito preocupadas com as filhas anoréxicas e como você quer fazer tudo certo. Encontrei várias mães na sua posição que ficaram deprimidas e até adoeceram fisicamente, com toda essa responsabilidade. É preciso cuidar de si mesma, e você *não* precisa ser responsável por mais ninguém, ainda que isso lhe seja difícil. Faça uma tentativa consciente de encontrar apoio, seja de um membro da família, um amigo ou conselheiro. Lembre-se que a Anorexic Aid vai se preocupar com você da mesma forma que o faz com sua filha — e que você merece toda a ajuda que puder encontrar.

Livros úteis

Aqui estão alguns livros que poderão ajudá-la. Para o leitor com um interesse mais especializado, existe uma bibliografia mais completa.

BRUCH, HILDE. *Eating Disorders: Obesity, Anorexia Nervosa and the Person Within*, Routledge and Kegan Paul, Londres, 1974. É um livro um tanto grande, porém muito bom de se mergulhar nele. Embora um pouco antigo, foi escrito com tanta sabedoria e sensibilidade que vale a pena dar uma olhada.

BRUCH, HILDE. *The Golden Cage*, Open Books, Londres, 1978. Um livro agradável e muito comovente. Curto, claro e cheio de compreensão.

MACLEOD, SHEILA. *The Art of Starvation*, Virago, Londres, 1981. Um notável relato sobre a anorexia. Baseado na própria experiência da autora, é uma análise completa das diferentes abordagens.

PALMER, R. L. *Anorexia Nervosa*, Penguin, Londres, 1980. Uma exposição rápida e clara sobre o assunto. Uma introdução bastante útil.

CRISP, A. H. *Anorexia Nervosa: Let Me Be*, Academic Press, Londres, 1980. Um livro acadêmico, porém legível, obviamente baseado em vários anos de experiência.

8

A EXPERIÊNCIA ANORÉXICA: UMA HISTÓRIA

Will Pennycook

Never shall a young man,
Thrown into despair
By those great honey-coloured
Ramparts at your ear,
Love you for yourself alone
And not your yellow hair.

But I cant get a hair-dye
And set such colour there,
Brown, or black, or carrot,
That young men in despair
May love me for myself alone
And not my yellow hair.

A heard an old religious man
But yesternight declare
That he had found a text to prove
That only God, my dear,
Could love you for yourself alone
And not your yellow hair.*

W. B. YEATS

* "Jamais um jovem, em desespero por estes escudos cor de mel aos teus ouvidos, a amará por ti apenas, e não pelos teus cabelos dourados/ Mas eu posso tingir os cabelos e conseguir um tal colorido castanho, preto, ruivo, que os jovens em desespero me amarão por mim apenas e não pelos meus cabelos dourados/ Ouvi um velho religioso declarar ainda ontem à noite que descobriu um texto que prova que só Deus, minha querida, pode amá-la por ti apenas, e não pelos teus cabelos dourados." (Tradução livre)

Eu vivia com minha irmã, meus pais e minha avó numa cidade do norte. Era a mais nova; tinha oito anos menos que minha irmã. Era alegre e esperta; lembro-me agora daquela época, com saudade, como o meu tempo de exuberância e liberdade. Velhas fotografias me permitem ter uma noção do meu passado; mostram-me como eu me sentia. As preferidas são aquelas em que estou com meu pai, quando a família passava as férias na praia. Lá estou eu, aos dois ou três anos, pronta para sair correndo, mas contida com firmeza pelo meu pai sorridente. A expressão no meu rosto é de excitação, alegria e malícia. Outras fotos tiradas na mesma época são variações sobre o mesmo tema; brincando na areia, caindo na água, correndo, pulando e cantando. As antigas fotografias trazem com elas todas as lembranças. A curiosidade em ebulição: "Você está sempre dizendo 'Por quê?". Aquela fome de conhecer o mundo e como ele funcionava (principalmente isto) e a facilidade com que se podia adquirir este conhecimento. Uma das minhas principais atividades naquele tempo era inventar peças e histórias. Elas se tornaram parte do folclore familiar. Eu obrigava todo mundo a se sentar em frente da janela da saleta de estar e desaparecia por trás das cortinas, surgindo segundos depois com uma corneta que eu mesma tinha feito. Todos tinham que aprovar e aplaudir. Quando eles comentam estas atividades, como continuam fazendo, sinto um misto de tímido constrangimento e arrebatado orgulho. A garotinha que criava as peças não era atormentada pela insegurança ou pela timidez; ela era confiante e orgulhosa. Sem dúvida me incentivavam. Meu pai, minhas tias e tios gostavam de implicar comigo e se divertiam com o meu bom humor. Minha mãe, acho, ficava meio sem graça. Embora eu não tenha certeza disso.

Meu pai gostava de brincar comigo: em casa, me fazia cócegas, fazíamos muita bagunça e dávamos cambalhotas. Nas férias brincávamos na praia. Mas ele costumava dizer, quando eu estava começando a me divertir: "Chega, já brincamos demais". E voltava para minha mãe e minha irmã. Eu nunca me cansava de brincar na água, no meio daquelas ondas grandes; não conseguia entender meu pai. Na minha lembrança, parecia correto e coerente que as duas ficassem sentadas na areia. Minha irmã era tímida e quieta; muito parecida com a jovem mãe. O comportamento agitado e as risadas não agradavam a minha mãe; ela parecia suportar resignada as brincadeiras do marido. As fotografias mostram nós duas juntas só ocasionalmente, e aí quietas e submissas.

Quem cuidava de nós, trabalhando muito em casa, era ela. Passava um bocado de tempo pensando em comida, indo ao mercado e preparando as refeições; mas não tanto tempo comendo. As refeições eram muito importantes para a família; comíamos sentados ao redor de uma mesa quadrada de madeira. Sempre na mesma hora, em ponto. O cardápio não variava; era diferente todos os dias, porém repetido todas as semanas.

Ficaram outras lembranças de minha infância. Mas não são como aquelas das fotografias, não são felizes nem estáveis; são tristes e vívidas. Não precisam ser evocadas. São uma parte de mim mesma que comando da mesma forma como posso me lembrar das horas agradáveis que passei ontem à noite.

Aos quatro anos operei as amígdalas. Recordo-me muito bem do hospital. A enfermeira querendo me dar sopa de tomate (uma coisa que em casa não comíamos nunca e que me fazia pensar em sangue) e gelatina com creme, que eu detestava e que minha mãe jamais teria me dado. Lembro-me de terem me garantido que tomaria muito sorvete, antes de ser internada; mas não me recordo de ter tomado nenhum. Sentia-me assustada e sozinha e queria minha mãe comigo. Naquela época ainda não se permitia que os pais acompanhassem os filhos.

Eu tinha acabado de entrar no colégio quando minha avó morreu de repente, embora, se é possível, isto fosse uma coisa de se esperar que acontecesse um dia. Minha mãe, filha dela, ficou muito perturbada, na época, e deprimida durante muito tempo. Foi um período traumático para todos. Continua vivo na minha lembrança. Eu tinha voltado do colégio para o almoço e encontrei minha mãe sentada no sofá, chorando. Uma vizinha prestativa me levou para a copa, onde almocei como de costume — salsichas, batatas e ervilhas. Não vou esquecer nunca. Minha avó foi velada em casa, segundo a tradição, e seu caixão foi colocado na copa, onde se continuou a cozinhar mas nunca mais se fez qualquer refeição. Não me levaram ao enterro, embora eu tivesse participado de todo o velório. Disseram-me que eu ficava "brincando" com minha avó morta, puxando-lhe as sobrancelhas e penteando seus cabelos. Quando minha tia chegou, eu disse: "Vem, titia, vem ver que bonitinhas as alças do caixão dela". Disseram, embora jamais diretamente, que meu comportamento causara desgosto e fora considerado, de certa forma, insensível.

As coisas parecem ter mudado depois da morte de minha avó. Mamãe ficou muito triste e não queria sair de casa. Eu quis aprender a dançar. Minha mãe me levou, e para as aulas de oratória também. Estas não me agradavam tanto. Eu gostava era de dançar, apaixonadamente. Saía dançando pelas ruas, e os vizinhos se cutucavam falando baixinho com minha mãe: "Lá vai ela de novo". Dançava pela casa, pulando de cadeira em cadeira, dando piruetas, saltos, e aterrizando numa "queda mortal". Não dava a mínima. Gostava de ir às aulas de dança; e era boa nisso também. Fui escolhida para participar de uma comédia musical no final do ano. Na hora de renovar a matrícula, minha mãe não o fez. Mas me inscreveu nas aulas de oratória. Era o que ela queria e o que ela podia se permitir. Senti-me desesperadamente infeliz; o que eu mais desejava era dançar. Nas aulas de oratória havia uma outra menina, filha de uma de suas amigas. Tínhamos a mesma idade, freqüentávamos o mesmo colégio, a mesma turma. Eu a odiava. Minha mãe comentava: "Não entendo por que você não pode ser como ela, tão arrumada, educada e agradável". Eu respondia: "Se você gosta tanto dela, por que não troca de filha?". Agora estávamos juntas na aula de oratória e, sem dúvida, ela falava melhor também.

Mas eu me saía bem, ganhava prêmios nas competições. Mas não era a mesma coisa. Mais tarde, soube que minha mãe não me levava às aulas de dança porque isto significava ficar sozinha com as outras mães, e ela não poderia enfrentar tal coisa. Nunca pude perdoá-la por me negar a oportunidade de expressar meu corpo e minha alma; exaltar minha graça e minha força física. Mas, acima de tudo, jamais pude perdoá-la por não ter-me deixado escolher.

Enquanto isso, no colégio eu ia bem, mas não tanto. Gostava de estudar, porém preferia brincar e sonhar. Certamente eu iria para o ginásio; nunca houve qualquer dúvida quanto a isso, jamais. Eu era inteligente, o que significava freqüentar uma escola muitos quilômetros longe de casa. Ninguém mais escolheu a escola que eu queria, foram todas para um colégio só para meninas (nenhum menino conseguiu nota suficiente). Assim, aos dez anos, tendo passado para o ginásio, comecei a sentir minha solidão e isolamento.

A ida para o ginásio foi um fato importante em minha vida. Minha mãe diz que foi aí que saí de casa, quando tinha apenas onze anos. Lembro-me do uniforme, ligeiramente grande e novo demais, escandalosamente novo. Recordo-me de quando fomos comprá-lo; a ansiedade em acertar na compra e no preço. Lembro-me das meias cinza e dos sapatos, feios, de bico redondo. Precisava tomar dois ônibus para chegar ao colégio. No primeiro dia minha mãe foi comigo até a segunda parada. Estávamos ansiosas. No segundo ônibus, cheio de crianças que iam para o mesmo destino, dois alunos do segundo ano perguntaram meu nome, riram dele e me deram um apelido, que ficou comigo até eu crescer. Estava assustada com a nova escola, mas nos primeiros cinco minutos fiz amizade com uma menina: ela também ficou comigo.

Eu era popular com os professores — principalmente a de etiqueta. Eu brilhava, minha amiga me disse mais tarde — minha pele, meus cabelos brilhavam, meu sorriso cintilava de orelha a orelha.

Tinha muita energia e entusiasmo: puro e verdadeiro entusiasmo, aparentemente sem perceber a desconfiança que um tal comportamento desperta nos colegas. Eu era eu mesma e era animada. Havia indícios de insegurança naquela época, aos onze anos. Inventei que tinha um cachorro e uma irmã glamourosa com um nome glamouroso. Tive que me desfazer deles quando minha amiga foi a minha casa pela primeira vez. A agonia de ser descoberta. No primeiro ano fui um sucesso, minhas melhores matérias eram matemática e francês. No início do terceiro ano, eu não ia tão bem, nada de dramático, mas dava para perceber. Fiquei menstruada e dei meu primeiro beijo. As coisas começavam a mudar.

Comecei a querer privacidade — a pensar e sentir por mim mesma. Mas em casa não havia espaço — física ou emocionalmente. Aos sábados pela manhã meus pais sempre saíam para fazer compras: minha irmã, quase casada, estava inevitavelmente fora. Eu costumava ir com eles. Agora, desejava desesperadamente ficar sozinha, em meu quarto, a sós com meu próprio corpo, que estava crescendo e se transformando. Ficava na cama quieta, e o tocava e explorava, e sentia meu cheiro. Era fascinante; comecei a experimentar sensações que me assustavam e excitavam. Não sabia o significado de tudo aquilo. Estava confusa e, quem sabe, alarmada. Sem dúvida, começara a assustar meus pais.

Uma noite saí com a única amiga que morava no mesmo bairro que eu. Ela freqüentava um ginásio moderno, não tinha deveres de casa, podia voltar tarde e tinha irmãos quase homens. Fomos a uma exibição de ginástica e na volta começamos a conversar com dois meninos. Eles se mostraram interessados em nós duas, e nós neles. Perto da prefeitura, um deles me beijou e eu retribuí. Nunca tinha sentido aquilo antes, queria continuar beijando até ficar sem fôlego. Ele me beijou no pescoço e me mordeu com violência, apaixonado; eu adorei. Minha amiga precisou me arrancar dali e tomamos o mesmo ônibus. Desci a rua esquecida de tudo o mais que não fosse eu mesma: sem consciência da hora e de que meus pais estariam preocupados. Eles me esperavam ansiosos, e quando cheguei ao portão meu pai gritou comigo e minha mãe chorava. Fui direto para a cama. Meu pai me proibiu de sair durante um mês. Quando me deitei, mostrei para minha irmã as "mordidas de amor" e ela ficou preocupada. Eu também, e no dia seguinte bem cedo desci e passei base. Quando minha mãe acordou, contei o que tinha acontecido e mostrei-lhe o pescoço. Novamente, mamãe chorou e me chamou de "minha criança". No colégio, no outro dia, uma garota me disse: "Você nem usa sutiã ainda e vem me dizer que deixou um garoto te beijar!". Lembro-me de que me senti envergonhada, mas não sabia bem por quê.

E aí começaram realmente as brigas. Deixei de ir à igreja, que desde pequena freqüentava, levada por meu pai, todos os domingos. A igreja era austera e fria. O pastor nos dizia que nossas mentes eram muito estreitas para podermos alcançar o milagre de Deus e que sem Seu amor não valíamos nada. Quando cresci passei a odiar todos eles e suas atitudes piedosas e críticas. Numa das últimas vezes que fui lá usei meias de nylon sem minha mãe saber; quando ela descobriu ficou zangada. Queria que eu usasse meias soquete. Tinha muito tempo ainda para eu crescer. As pessoas na igreja lhe perguntavam por que eu não ia mais. Eu não ia porque não acreditava mais em Deus. Minha mãe me defendia, dizendo: "Ela jamais fará qualquer coisa que me envergonhe".

Ir à igreja era ainda uma das poucas coisas que eu fazia com meu pai. Quando deixei de ir, interrompemos nossas caminhadas de ida e volta e as inevitáveis conversas. Talvez tenhamos deixado de conversar totalmente.

Comecei a usar trajes estranhos, que comprava nas lojas de roupas usadas ou que eu mesma fazia. E a maquilagem esquisita — lábios brancos ou pretos; pálpebras escuras ou roxas. Arranquei as sobrancelhas e penteei os cabelos para trás. Minha mãe ficou revoltada e gritou comigo, não ia me deixar sair daquele jeito, então tirei tudo e, no ônibus, tornei a colocar. Era uma fachada; no fundo, eu estava com medo e sozinha, mas desejava desesperadamente ser eu mesma, definir quem eu era, manifestar minha própria natureza. Não encontrava as palavras, por isso usava o corpo e o rosto. Olhava as fotografias nas revistas: ali as meninas eram lindas e magras. Eu gostava do ar macilento, porém infantil. Elas pareciam expressar algo que eu sentia. Mas eu não era magra, e queria ser. Parei de comer, não totalmente, porém aos poucos. Tornei-me vegetariana e minha mãe reclamou. Emagreci. Ela me levou ao médico, que tentou me convencer a comer peixe, pelo menos. Assim fiz.

Nas manhãs frias era pior. Ela tentava fazer-me comer mingau de aveia no café da manhã; eu me recusava e ficávamos sentadas ali — eu detestava minha mãe, queria que ela fosse embora, detestava essa intimidade logo de manhã cedo, odiava ser observada, ter aquela pessoa me olhando como se me visse por dentro. Eu ficava ali sentada, dura, rejeitando minha mãe e a comida, e me sentindo tão mal que acabava saindo feito uma fúria, batendo a porta de casa e o portão.

Finalmente, foi ela quem sucumbiu. Almoçávamos com minha irmã; minha mãe começou a chorar: "O que foi que eu fiz, por que ela não fala comigo, o que posso fazer?". Senti-me vitoriosa, mas vazia. Foi assim durante os últimos anos de colégio: batalhas silenciosas com minha mãe; rancorosas e violentas comigo mesma.

No colégio, o quadro se anuviava. Tive resultados razoavelmente bons nos exames. Queria continuar me preparando para a faculdade, e assim fiz. Os últimos dois anos passaram-se numa névoa de desespero e depressão. Relacionava-me mal com os colegas; queria ser linda, mas achava que não era; tinha uma amiga, mas estávamos em grupos diferentes e, além do mais, ela tinha um namorado. Estava sozinha e me sentia solitária. Lia poesias, apreciava muito Keats, "*And now more than ever it seemed rich to die, to cease upon the midnight with no pain*".* Ele expressava minha angústia. Não me sentia amada. Nos piores momentos até chorava, repetindo em meio aos soluços as palavras "ninguém me ama". No final do curso descobri T. S. Eliot e carregava seus poemas comigo para onde quer que fosse. Ele também parecia saber como eu me sentia, "*What shall I do now? What shall I do? I shall rush out as I am, and walk the street with my hair down, so. What shall we do tomorrow? What shall we ever do?*".**

Eu descrevia minha vida usando palavras alheias. Não tinha voz própria. E ao fim, não só não me sentia amada, como achava impossível que alguém pudesse me amar. Podia mudar minha aparência, torná-la mais aceitável, atraente, amável, mas no íntimo não havia nada que se pudesse fazer para me salvar de minha própria feiúra.

Saí do colégio e fui para a faculdade. Não sabia realmente o que desejava fazer; ajudar os outros era a única coisa que me animava. A faculdade não era muito longe de casa. Estranho, mas eu não queria me afastar muito de meus pais. Estava feliz mas, de certa forma, não era preciso decidir sobre minha vida enquanto estava estudando. Podia evitar as responsabilidades. Quando me formei e consegui o primeiro emprego, tive que enfrentar decisões, aceitar a responsabilidade pela minha própria vida. A autonomia pela qual lutara com tanta bravura era agora uma forte ameaça. Comecei a ler, vorazmente; nada era o bastante. Como se eu estivesse procurando um sentido, uma identidade, uma explicação, uma maneira de poder ser amada. Encontrei um jovem que se apaixonou por mim e tive a primeira experiência sexual de verdade. Apaixonei-me por ele, mas quase imediatamente, fiquei assustada e fui dominada pelo meu desejo: como se isso fosse devorá-lo e destruí-lo. Acabei me detestando e odiando-o também. Ele ficou aflito no início, depois, zangado. Não me compreendia. Fiquei doente. Levaram-me para o hospital, onde me extraíram o apêndice. Quando saí, tinha emagrecido.

---

* "E agora mais do que nunca parecia esplêndido morrer, apagar-se à meia-noite sem dor."

** "O que farei agora? O que farei? Vou sair correndo como estou e andar pelas ruas despenteada, assim. O que faremos amanhã? O que faremos?"

Dois meses depois da operação fui a uma festa. Lá encontrei um antigo colega. Ele observou que eu estava mais magra e que ficava bem assim; de fato, ele disse, eu estava muito mais atraente. Daquele momento em diante, reduzi consideravelmente minha comida. Parei de comer batatas e pão; depois, a manteiga e o queijo. Comecei a "devorar" todas as informações possíveis sobre calorias; lia os livros de regimes com um interesse desgastante. Minha alimentação era balanceada, medida segundo seu valor calórico. Emagreci muito mesmo. Sentia-me bem, gostava de minha magreza, os ossos salientes dos quadris, os ombros esqueléticos. Achava-me agradável e importante. Quando saía com os amigos, entrava em pânico se o bar não vendia bebidas de baixo teor calórico. Achava que a comida estava me envenenando; que o hábito de comer e beber acabaria literalmente por me matar. Não demorou, e estava me alimentando apenas de frutas e torradas, alface, aipo e um pouco de carne bem magra. A dieta não variava. Todos os dias tinha que ser a mesma coisa. Entrava em pânico se a loja não tinha exatamente a marca de torradas que eu queria; era um terror se não pudesse comer, ritualmente, na mesma hora. Controlava com exatidão o que estava comendo; estava a salvo do perigoso mundo dos que vivem e comem — mas triste e desesperadamente só. Junto com o controle da comida e da incapacidade de me alimentar (*era-me* impossível comer), vinha a dificuldade de estar com os outros também. Estava sempre faminta, não era capaz de me concentrar no que as pessoas diziam ou faziam. Matriculei-me num curso à noite para fazer novos amigos, mas não consegui agüentar. Às oito horas estava com tanta fome que não podia pensar em outra coisa. Nem mesmo em ler, uma atividade que me daria algum consolo. Às vezes, a fome era tão mais forte que acabava devorando tudo. Nas festas, pegava a comida, colocava na bolsa e levava para casa. Ocasionalmente, comia um pouco, mas ficava tão dominada pela culpa que vomitava tudo.

Algumas pessoas foram gentis e tentaram cuidar de mim, traziam comida natural, pois meu disfarce era este. Mas elas logo desapareciam, incapazes de suportar minha aflição. As mulheres, especialmente, sentiam-se atraídas, invejando minha magreza. Eu gostava de me vangloriar de não ter problema de peso, de poder comer o que quisesse e de realmente gostar de ricota e alface. Sabia que era capaz de fazer o que a maior parte das pessoas não conseguia; mas isso não me fazia sentir-me melhor.

Comecei a ficar doente; a perceber que havia alguma coisa muito errada comigo. Fui ao médico e expliquei que não conseguia comer e que tinha medo de acabar morrendo. Ele me encaminhou ao hospital.

Fui para lá na hora marcada; na verdade, cheguei muito cedo. Na sala de espera, olhei à minha volta. Havia gente realmente doente — velhos e loucos. Todos pobres. Fiquei assustada com eles, assustada de ser um deles. Entrei em pânico, queria sair correndo. Mas fiquei e esperei que a médica chegasse.

A expressão dela era gentil e compreensiva; era alta mas não magra. Fiquei, de certa forma, tranqüila com sua aparência. Ela me fez perguntas; do que eu gostava, do que não gostava, minhas ambições. Quis saber sobre minha família, meu trabalho. Perguntou meu peso, não pareceu muito preocupada. Queria saber de mim. Nas consultas seguintes, ela me pesou para garantir que o meu peso fosse estável, mas jamais achei que isso fosse importante para ela. Importava o que eu achava de meu próprio corpo; o que significava ser magra; ter um relacionamento em que eu me sentia aceita pelo que eu era — ''*Somehow being seen for what one was made up for the misery of being it*''.*

Exatamente na época em que comecei as consultas regulares, vi meus pais. Foi uma época terrível para mim e para eles. Foi minha mãe que veio me visitar primeiro. Ficou visivelmente chocada com minha aparência e, é óbvio, alarmada. Tentamos conversar a tarde inteira e ela procurava me seduzir com meus pratos preferidos. Eu recusava tudo. Na manhã seguinte, ela entrou em meu quarto com uma xícara de chá; tentou me abraçar, me segurar nos braços como um bebê, me consolar do jeito que fizera tantas vezes no passado. Mas não adiantou. ''Vai embora, me deixa sozinha.'' Meu corpo esquelético afastou-se dela, engoli os soluços. ''Por favor, deixe-me ajudar, por favor'', ela implorava, chorando. Não adiantou nada. Ela saiu, derrotada e rejeitada.

Voltei para casa logo depois dessa visita. Eram as minhas férias de verão. Eu estava muito, muito nervosa. Meu pai não me vira magra. Sem dúvida minha mãe lhe contara, preparara-o, mas eu sabia que ele ia ficar chocado. Ficou. Não disse nada; depois, soube que mais tarde ele foi ver minha irmã e desabafou. ''Ela era tão bonita!'', disse. Ele perdera sua menininha. A família estava arrasada. As refeições eram uma agonia. Meu pai não conseguia deixar de comentar meu pratinho de comida, minha mãe ficava agitada, comendo ansiosa e evidentemente preocupada comigo. Ela fazia tudo o que eu costumava comer, mas eu não comia. Não conseguia colocar nada na boca. Eu não estava mais resistindo ativamente aos seus cuidados; era como se eu tivesse perdido. Não havia brigas, agora, nem discussões; ninguém ousava discutir ou discordar, com medo de que eu não agüentasse, tão frágil lhes parecia.

---

* ''De certa forma, ser aceito pelo que se era compensava o sofrimento de ser assim.''

É claro que estava frágil, mas também me sentia muito forte, indestrutível. No verão que passei em casa, comecei a me sentir melhor. No inverno seguinte, contudo, minha vida foi dura. Tive consciência de estar indescritivelmente triste e faminta. Comecei a perceber, com a ajuda de minha médica, que eu não precisava me sentir assim. Havia outros meios. Mas não era fácil.

O processo de alimentação iniciava-se com um copo de vinho branco. Minha médica dizia que "o superego era solúvel em álcool". Depois de dois copos, eu começava a conseguir comer; como se minha vontade de ferro se derretesse, a fornalha era alimentada a álcool. Eu comia de um jeito desvairado e caótico; enfiava a comida na boca como uma criatura faminta. Depois, sentia-me culpada e fazia jejum um ou dois dias.

O caos era terrível; era como se eu estivesse perdida, me empanturrando até explodir. Mas comecei a reconhecer, aos poucos, que comer também era bom. Passei a me alimentar cada vez mais freqüentemente; não de forma regular, porém do meu jeito esporádico, e comecei a gostar.

Talvez eu continuasse assim por muito tempo. A médica achava, sem dúvida, que eu estava bem melhor. Havia quase um ano que nos víamos todas as quintas-feiras. Juntas explorávamos meus sentimentos com relação a meus pais; e a confusão em que me encontrava acerca de quem eu era e queria ser. Eu confiava nela. Precisava dela; era uma pessoa que me ouvia com atenção, que não me julgava, não me dizia o que fazer, deixava-me ser. Eu tentava, com a ajuda dela, desenredar o emaranhado das minhas emoções confusas e conflitantes.

Mas no final a decisão tinha que ser minha. Era difícil de aceitar. Ela podia me ajudar, mas não podia me dizer como viver. A vida era minha, afinal de contas. Pertencia a mim; eu podia cultivá-la, alimentá-la, ou deixá-la morrer de inanição. Eu podia escolher. A carga pesava tanto que, às vezes, eu achava que não a suportaria sozinha. Relutante, parei de vê-la, e senti falta. Ela me indicou um outro grupo, que freqüentei algumas vezes, mas não gostei e não voltei mais.

Um dia, por acaso, encontrei uma de minhas vizinhas. Esse tempo todo eu vivia num apartamento. Percebi que não conhecia ninguém lá. Ela morava sozinha com um filho pequeno. Aos poucos fui conhecendo os dois. Ela era muito franca, gentil e amiga. Eu conseguia falar com ela, contar a meu respeito e até rir com ela. Muitas vezes ia visitá-la depois do expediente. Enquanto ela preparava a comida do menino, eu ficava olhando. Comecei a perceber como e o quanto as pessoas comiam; passei a aprender como me alimentar.

Havia outros amigos. Continuava encontrando minha amiga de colégio. Fomos companheiras durante tanto tempo que nos sentíamos à vontade uma com a outra; podíamos até deixar as frases incompletas. Uma colega do trabalho morava por perto com o marido e comecei a visitá-los. A casa deles era agradável e acolhedora, e nela sempre havia comida. Era bom estar com eles porque eram pessoas generosas e compreensivas.

Ingressei no centro comunitário local e fiquei bastante envolvida em algumas das campanhas. Isso despertou meu interesse; alguma coisa para fazer à noite e nos fins de semana, que eram as horas piores. Logo percebi que era capaz de me envolver, participar e até organizar projetos. Sentia-me bem.

Dois anos depois que tudo isso começou, eu ainda era magra, continuava ansiosa em relação à comida, continha o apetite, ignorava a fome (como se admitindo-a estivesse admitindo ter necessidades). Mas era suportável. Conseguia relaxar, gostar de estar com as pessoas e dar-lhes alguma coisa, conseguia me concentrar, pensar e voltar a ser criativa.

Naquele Natal, quando me senti melhor, fui a uma festa, onde encontrei o amigo de um amigo. Ele era sensível e muito engraçado. Fez-me rir, me ajudou e eu me senti bem e segura. Ele quis me ver de novo; colocando as mãos em meus ombros, disse que queria tornar a me ver. Eu estava encantada. Encontrei-me com ele várias vezes. Era tão óbvio que me queria, que não pude deixar de corresponder. Comecei a expressar meu desejo por ele; a fome que sentia dele quando estava ausente. E foi bom. Não o destruí, ele ganhou com isto: não o devorei, ele se tornou mais completo. Através de nosso relacionamento, senti-me bastante segura, bastante aceita para comer. E comia, não pratos enormes, mas com regularidade e prazer.

Nosso relacionamento foi a parte final do processo; algo que tinha começado muitos anos antes. Tantas pessoas tinham estado envolvidas, e cada uma me ajudou a seu modo.

O fim da história é, sem dúvida, o início. Sempre soube que havia uma resposta; que alguém sabia como viver sem dor e ansiedade. Descobri que achar as respostas, aprender a viver, era, por definição, doloroso, mas algo que não poderia mais fazer sozinha. Estava mais vulnerável do que antes, pois não me escudava mais na magreza e na infelicidade. Ser mulher é um negócio arriscado. Descobri diferentes estratégias para enfrentar isso; algumas que estão sob meu controle. O esforço para ser eu mesma, autônoma e livre, continua.

NOTAS

Prefácio

1. Chernin, K., *Womansize: The Tyranny of Slenderness*, The Women's Press, 1981.
2. Chernin, K., *The Hungry Self: Women, Eating and Identity*, Virago, Londres, 1986.
3. Orbach, S., *Hunger Strike*, Faber, Londres, 1986.
4. Lawrence, M. (ed.), *Fed Up and Hungry*, The Women's Press, 1987.
5. Ver, por exemplo, Crisp, A., "The Integration of 'Self Help' and 'Help' in the Prevention of Anorexia Nervosa", *in British Review of Bulimia and Anorexia Nervosa*, Vol. 1, nº 1, 1986.

Capítulo 1

1. Pedi emprestada a idéia de identidade verdadeira e falsa ao analista infantil D. W. Winnicott. Winnicott, D. W., "Ego Distortion in Terms of True and False Self" *in The Maturational Processes and the Facilitating Environment*, Hogarth Press, Londres, 1965.
2. MacLeod, S., *The Art of Starvation*, Virago, Londres, 1981.

Capítulo 2

1. E. Palmer, R. L., *Anorexia Nervosa*, Penguin, Londres, 1980.
2. A análise completa se encontra no folheto *Food and Profit*, produzido pelo Politics of Health Group, impresso pela Blackrose Press, 30 Clerkenwell Close, Londres EC1.

3. Ehrenreich, B. e English, D., *For Her Own Good*, Anchor Press, Nova York, 1978.
4. Davin, A., "Imperialism and Motherhood", *History Workshop* 5, Routledge and Kegan Paul, Londres, 1978, pp. 9-65.
5. Bruch, H., *Eating Disorders*, Routledge and Kegan Paul, Londres, 1974.
6. Lawrence, M., "Anorexia Nervosa: The Control Paradox", *Women's Studies*, Vol. 2, nº 1, 1979, pp. 93-101.
7. Mensching, G., *Structures and Patterns of Religion*, traduzido por Klimheit, H. F. e Sharma, S., Banarsidass, Delhi, 1976.
8. Douglas, M., *Purity and Danger*, Routledge and Kegan Paul, Londres, 1966.
9. Chamberlain, M., *Old Wives's Tales*, Virago, Londres, 1981.
10. Bruch, H., *Eating Disorders*, Routledge and Kegan Paul, Londres, 1974.
11. MacLeod, S., *The Art of Starvation*, Virago, Londres, 1981.
12. Huxley, A., *Chrome Yellow*, Chatto and Windus, Londres, 1958.
13. Ehrenreich, B. e English, D. *op. cit.*
14. Ehrenreich, B. e English, D., *op.cit.*, p. 93. "Os médicos descobriram uma variedade de rótulos para os diagnósticos da onda de invalidez que assola a população feminina: 'neurastenia', 'prostração nervosa', 'hiperestesia', 'insuficiência cardíaca', 'dispepsia', 'reumatismo' e 'histeria'. Os sintomas incluem dores de cabeça, dores musculares, fraqueza, depressão, problemas menstruais, indigestão, etc., e geralmente uma debilidade geral exigindo constante repouso."
15. Chernin, K., *Womansize*, The Women's Press, Londres, 1983.
16. Wooley, O. W., Wooley, S. C. e Dyrenforth, S. R., "Obesity and Woman II: A Neglected Feminist Topic", *Women's Studies*, Vol. 2, nº 1, 1979, pp. 81-92.
17. Monello, L. F. e Mayer, J., "Obese Adolescent Girls: An Unrecognised 'Minority' Group?", *American Journal of Clinical Nutrition*, 13, 1963, pp. 35-39.
18. Orbach, S., *Fat is a Feminist Issue*, Paddington Press, Londres, 1978.
19. Garrow, J., "Energy Balance and Obesity in Man", American Elsevier, 1974, citado por Wooley, O. W. e Wooley, S. C. *in* "Obesity and Women I; A Closer Look at the Facts", *Women's Studies*, Vol. 2, nº 1, 1979.
20. Goodman, N., Dornbusch, S. M., Richardson, S. A. e Hastorf, A. H., "Variant Reactions to Physical Disabilities", *American Sociology Review*, 28, pp. 429-435, citado por Wooley, O. W., Wooley, S. C. e Dyrenforth, S. R., *op. cit.*

21. Contento, I., "The Nutritional Needs of Women", em Kaplan, J. R. (ed.), *A Woman's Conflict: The Special Relationship Between Women and Food*, Prentice Hall, Nova York, 1980.

22. Wooley, O. W. e Wooley, S. C., *op. cit.*

23. Davis, A., *Let's Get Well*, George Allen and Unwin, Londres, 1966.

Capítulo 3

1. Brown, G. e Harris, T., *Social Origins of Depression*, Tavistock, Londres, 1978.

2. Palmer, R. L., *Anorexia Nervosa*, Penguin, Londres, 1980.

3. Waller, J. V., Kaufman, R. e Deutsch, F., "Anorexia Nervosa: A Psychosomatic Entity", *Psychosomatic Medicine*, 2, 1940, pp. 3-16.

4. Dally, P. e Gomez, J., *Anorexia Nervosa*, Heinemann, Londres, 1979.

5. Organização de voluntários que presta serviços de informação e aconselhamento aos anoréxicos e suas famílias.

6. Palmer, R. L., *op. cit.*

7. Dally, P. e Gomez, J., *op. cit.*

8. Williams, J. H., *Psychology of Women*, Norton, Nova York e Londres, 1974.

9. Spender, D., *Invisible Women*, Writers and Readers Publishing Cooperative, Londres, 1982.

Capítulo 4

1. Lambley, P., *How to Survive Anorexia*, Frederick Muller, Londres, 1983.

2. Lambley, P., *op. cit.*

3. Lambley, P., *op. cit.*

4. Lambley, P., *op. cit.*

5. Bruch. H. *Eating Disorders*, Routledge and Kegan Paul, Londres, 1974.

6. Winnicott, D. W., "The Theory of the Parent-Infant Relationship" (1960) em *The Maturational Processes and the Facilitating Environment*, Hogarth Press, Londres, 1965.

7. O termo "castrar" que Winnicott usa na página 51 é nitidamente uma palavra muito estranha quando se refere a meninas. É um ótimo exemplo, sem dúvida, da tendência dos escritores em assumir, pelo menos implicitamente, que todas as crianças são do sexo masculino. O que ele quer dizer é "tornar impotente".

8. Winnicott, D. W., *op. cit*, p. 52.
9. Bruch, H., *op. cit.*
10. Minuchin, S., Rosman, B. L. e Baker, L., *Psychosomatic Families*, Harvard University Press, Cambridge, Massachusetts e Londres, 1978.
11. MacLeod, S., *The Art of Starvation*, Virago, Londres, 1981.
12. Minuchin, S. *et al., op. cit.*
13. Flax, J., "The Conflict Between Nurturance and Autonomy", *in* Howel, E. e Bayes, M. (eds.), *Women and Mental Health*, Basic Books, Nova York, 1981.
14. Flax, J., *op. cit.*

Capítulo 5

1. Bruch, H., *The Golden Cage: The Enigma of Anorexia Nervosa*, Open Books, Londres, 1978.
2. Palmer, R. L., *Anorexia Nervosa*, Penguin, Londres, 1980.
3. Crisp, A. H., *Let Me Be*, London University Press, 1980.
4. Bruch, H., *op. cit.*
5. Bruch, H., *op. cit.*
6. Gull, W. W., "Anorexia Nervosa", *in Transactions of the Clinical Society*, Londres, 7, 1874, pp. 22-28.
7. Bruch, H., "Perils of Behaviour Modification in the Treatment of Anorexia Nervosa", *in Journal of the American Medical Association*, 230, 1974, pp. 1419-22.

Capítulo 6

1. Lawrence, M., "Anorexia Nervosa: The Counsellor's Role", *in British Journal of Guidance and Counselling*, Vol. 9, nº 1, Jan. 1981, pp. 74-85.
2. Bruch, H., *The Golden Cage: The Enigma of Anorexia Nervosa*, Open Books, Londres, 1978.
3. Lawrence, M., *op. cit.*
4. Hilde Bruch, no último capítulo de *The Golden Cage*, descreve isto muito bem.
5. D. W. Winnicott curiosamente alude a este processo *in* "Communicating and Not Communicating Leading to a Study of Certain Opposites" (1963), *in The Maturational Processes and the Facilitating Environment*, Hogarth Press, Londres, 1965.
6. Palmer, R. L., *Anorexia Nervosa*, Penguin, Londres, 1980.
7. MacLeod, S., *The Art of Starvation*, Virago, Londres, 1981.

BIBLIOGRAFIA

Anoroff, J. "Sex Differences in the Orientation of Body Image", *Journal of Personality Assessment*, 36, 1972, 19-22.

Askevold. F. "Measuring Body Image: Preliminary Report on a New Method", *Psychotherapy and Psychosomatics*, 26, 1975, 71-7.

Benswanger, L. "Der Fall Ellen West", *Archiv für Neurologie und Psychiatrie*, 53:255-77; 54:69-117, 330-60; 55:16-40, 1944, trad. Mendel, W. e Lyons, J. *in* May, R., Angel, E. e Ellenberger, H. (eds), *Existence*, Basic Books, Nova York, 1958.

Boskind-Lodahl, M. "Cindrella's Step-Sisters: A Feminist Perspective of Anorexia Nervosa and Bulimia", *in* Howell, E. e Bayes, M., *Women and Mental Health*, Basic Books, Nova York, 1981.

Bruch, H. *Eating disorders: Obesity, Anorexia Nervosa and the Person Within*, Routledge and Kegan Paul, Londres, 1974.

Bruch, H. *The Golden Cage: The Enigma of Anorexia Nervosa*, Open Books, Londres, 1978.

Bruch, H. "Perceptual and Conceptual Disturbances in Anorexia Nervosa", *Psychosomatic Medicine*, 24, 1962, 187-94.

Bruch, H. "Death in Anorexia Nervosa", *Psychosomatic Medicine*, 33, 1971, 135-44.

Bruch, H. "Anorexia Nervosa in the Male", *Psychosomatic Medicine*, 33, 1971, 135-44.

Bruch, H. "Psychotherapy in Primary Anorexia Nervosa", *Journal of Nervous and Mental Disorders*, 150, 1970, 51-67.

Bruch, H. "Perils of Behaviour Modification in the Treatment of Anorexia Nervosa", *Journal of the American Medical Association*, 230, 1974, 1419-22.

Bruch, H. "Obesity and Anorexia Nervosa: Psychological Aspects", *Australian and New Zealand Journal of Psychiatry*, 2(3), 1975, 159-61.

Button, E. J., Fransella, F. e Slade, P. D., "A Re-appraisal of Body Perception Disturbance in Anorexia Nervosa", *Psychological Medicine*, 7, 1977, 235-43.

Chernin, K. *Womansize: The Tyranny of Slenderness*, The Women's Press, Londres, 1983.

Chernin, K. *The Hungry Self: Women, Eating and Identity*, Virago, Londres, 1980.

Crisp, A. H. *Anorexia Nervosa: Let Me Be*, Academic Press, Londres, 1980.

Crisp, A. H. "A Treatment Regime for Anorexia Nervosa", *British Journal of Psychiatry*, 112, 1965, 505-12.

Crisp, A. H. e Thomas D. A. "Primary Anorexia Nervosa or Weight Phobia in the Male", *British Medical Journal*, 1, 1972, 334-38.

Crisp, A. H., Harding, B. e McGuiness, B. "Anorexia Nervosa: Psychoneurotic Characteristics of Parents: Relationship to Prognosis. A Quantitative Study", *Journal of Psychosomatic Research*, 18, 1974, 167-73.

Crisp, A. H., Palmer, R. L. e Kalucy, R. S., "How Common is Anorexia Nervosa? A Prevalence Study", *British Journal of Psychiatry*, 128, 1976, 549-54.

Dally, P., *Anorexia Nervosa*, Grune e Stratton, Nova York, 1969.

Dally, P. e Gomez, J., *Anorexia Nervosa*, Heinemann, Londres, 1979.

Dana, M. e Laurence, M., *Women's Secret Disorder: A New Understanding of Bulimia*, Grafton, Londres, 1988.

Fisher, S. e Cleveland, S. E., *Body Image and Personality*, Dover Publications, Nova York, 1968.

Garfinkel, P. E., Kline, S. A. e Stancer, A. C., "Treatment of Anorexia Nervosa Using Operant Conditioning Techniques", *Journal of Nervous and Mental Diseases*, 6, 1973, 428-33.

Gull, W. W. "Anorexia Nervosa (Apepsia Hysterica, Anorexia Hysterica)", *Transactions of the Clinical Society* (Londres), 7, 1874, 22.

Hus, L. K. G., Meltzer, E. S. e Crisp, A. H., "Schizophrenia and Anorexia Nervosa", *Transactions of the Clinical Society* (Londres), 7, 1874, 22.

Hus, L. K. G., Meltzer, E. S. e Crisp, A. H. "Schizophrenia and Anorexia Nervosa", *Journal or Nervous and Mental Diseases*, 169, 1981, 273-6.

Kalucy, R. S., Crisp, A. H. e Harding, B. "A Study of Fifty-Six Families with Anorexia Nervosa", *British Journal of Psychology*, 50, 1977, 381-95.

Lasegue, C. "On Hysterical Anorexia", *Medical Times and Gazette*, 2, 1873, 265-6, 367-9.

Lawrence, M. "Anorexia Nervosa: The Control Paradox", *Women's Studies* International Quarterly, 2, 1979, 93-101.

Lawrence, M. "Anorexia Nervosa: The Counsellor's Role", *British Journal of Guidance and Counselling*, 9, 1981, 74-85.

Lawrence, M. "Education and Identity; Thoughts on the Social Origins of Anorexia", *Women's Studies International Forum*, vol. 7, nº 4, 1984, 201-10.

Lawrence, M. (ed.), *Fed Up and Hungry: Women, Opression and Food*, The Women's Press, Londres, 1987.

MacLeod, S. *The Art of Starvation*, Virago, Londres, 1981.

Meyer, J. E. "Anorexia Nervosa of Adolescence: The Central Syndrome of the Anorexia Nervosa Group", *British Journal of Psychiatry*, 118, 1971, 539-42.

Minuchin, S., Rosman, B. L. e Baker, L. *Psychosomatic Families: Anorexia Nervosa in Context*, Harvard University Press, Cambridge, Massachusetts, 1978.

Morgan, H. G. "Fasting Girls and Our Attitudes to Them", *British Medical Journal*, 2, 1977, 1652-55.

Orbach, S. *Fat is a Feminist Issue*, Hamlyn, Londres, 1979.

Orbach, S. *Hunger Strike*, Faber, Londres, 1986.
Palmer, R. L. *Anorexia Nervosa*, Penguin, Londres, 1980.
Palmer, R. L. "Dietary Chaos Syndrome: A Useful New Term?", *British Journal of Medical Psychology*, 52, 1979, 187-90.
Pillay, M. e Crisp, A. H. "Some Psychological Characteristics of Patients with Anorexia Nervosa, Whose Weight has been Newly Restored", *British Journal of Medical Psychology*, 50, 1977, 375-80.
Russel, G. F. M. "Bulimia Nervosa: An Ominous Variant of Anorexia Nervosa", *Psychological Medicine*, 9, 1979, 429-48.
Russell, G. F. M. "The Nutritional Disorder in Anorexia Nervosa", *Journal of Psychosomatic Research*, 134, 1979, 60-6.
Selvini-Palazzoli, M. *Self Starvation*, Chaucer Publishing House, Londres, 1974.
Stunkard, A. e Burt, V. "Obesity and the Body Image II: Age at Onset of Disturbances in the Body Image", *American Journal of Psychiatry*, 123, 1967, 1443-47.
Thomas, H. *Anorexia Nervosa*, Huber-Klett, Bern-Stuttgart, 1961; International University Press, Nova York, 1967.
Waller, J. V., Kaufman, R. e Deutsch, F. "Anorexia Nervosa. A Psychosomatic Entity", *Psychosomatic Medicine*, 2, 1940, 3-16.
Yager, J. "Family Issues in the Pathogenesis of Anorexia Nervosa", *Psychosomatic Medicine*, 44, 1982, 43-60.

Impresso na
press grafic
editora e gráfica ltda.
Rua Barra do Tibagi, 444 - Bom Retiro
Cep 01128 - Telefone: 221-8317